Cela aurait pu s'appeler...

... Fleur de Jade, Le Jardin du Printemps, ou le Dragon Impérial.

Cela s'intitule Le Vent des Dieux. Ce n'est pas un restaurant, c'est une Bande Dessinée. L'action se déroule dans l'île Sado (maso ?), aux frontières de l'archipel nippon, *"dans un temps très ancien"*, nous dit le scénariste. Un gros et gras seigneur (on appelle ça un daïmyo, dans ce pays-là) très "combattant de Sumo" (fine moustache et petit bouc) enrobé d'un kimono et de deux ou trois frêles et aguichantes geishas (qui fourniront l'indispensable élément érotique), préside aux destinées de cette contrée lointaine. Autour de lui, une tripotée de samouraïs belliqueux dont le chef est également le héros de l'histoire : Tchen Qin. Un joli garçon qui, quand il ne saute pas la favorite du maître sur les remparts dans des positions homologuées par l'édition brochée du Kama Sutra, s'en va contre son gré trancher la tête des paysans, ces gueux qui ne veulent (dit le daïmyo), ne peuvent (commente l'audacieux Tchen) payer l'impôt.

Ajoutons à cette petite cour le sage Nichiren (vieux bouc), qui seul se permet de critiquer le maître, et Kozo, le rival de Tchen. Débitons quelques têtes, glissons un seppuku (hara-kiri), et nous avons Le Sang de la Lune, premier épisode du Vent des Dieux. Ne boudons pas cependant notre plaisir. Le dessin, sans originalité mais agréable, vient tempérer la banalité du scénario, et l'album s'ingurgite assez plaisamment...

Bien sûr le commentaire ci-dessus n'est pas de moi (là, c'est le scénariste Cothias qui vous parle). Il a été écrit (octobre 85) par un aimable critique de bande dessinée (dont j'ai oublié le nom) qui bosse (ou qui bossait ?) pour le très célébrissime magazine (A Suivre). Ce même critique avait d'ailleurs déjà écrit des 7 Vies de l'Epervier que c'était "nul à chier".

Il avait bien raison.

Ce pauvre Vent des Dieux aurait pu aussi bien s'appeler Indiana Jaune ou, mieux encore, Tchen Con au Pays des Citrons. A part que Le Vent des Dieux est la traduction exacte de Kamikaze, et que Kamikaze est le nom que les Nippons de cette drôle d'époque (dans ce temps très ancien) ont choisi de donner au célèbre Ti-Fun (ça veut dire "ouragan") qui a dispersé la flotte d'invasion mongole quelques années après que commence ce récit (Kamé=Sacré et Kaze=Vent).

Comme quoi j'ai eu de la chance dans mon ignorance.

J'ai eu du bol aussi parce que l'île Sado (qui rime avec maso, ce qui, entre nous, arrangeait bien mes affaires) existe pour de bon (vous pouvez le vérifier dans un dictionnaire). Comme quoi la réalité dépasse l'imagination la plus tordue. Peut-être y a-t-il un Dieu pour les scénaristes de bande dessinée, ou bien que le Vent-Sacré soufflait dans ma tête (comme il soufflera plus tard dans celle de Tchen Qin au cours d'un épisode nommé L'Homme Oublié) - mais qui aurait pu s'appeler Yamamoto ou Tavékasoné - et que j'étais en état de transe médiumnique ? J'en avais bien besoin, de cette transe médiumnique, car je ne savais presque rien de mon sujet. En règle générale et en

particulier, dans le petit métier de la bande dessinée, ce sont les éditeurs qui s'en vont au Japon pour négocier des contrats, jamais les auteurs. J'avais bien sûr rencontré quelques Japonais sur les Champs Elysées ou à la Tour Eiffel (en ce temps-là j'habitais encore près de Paris), mais ils ne ressemblaient pas à des Samouraïs. J'avais aussi possédé une Suzuki (50cm^3) pendant mes folles années, mais ça ne m'était pas d'un secours formidable pour comprendre les us et coutumes de ce pays.

Alors, d'où m'est venue l'idée de raconter cette histoire pitoyable ? Cette "Japoniaiserie" ? Comment une telle aventure est-elle arrivée ?

Je m'en souviens très bien. C'était un temps très ancien (en 80). Un matin, en me réveillant, j'avais grandi et je me sentais Bridé dans mon pyjama (je ne dormais pas encore tout nu à l'époque). J'ai regardé dehors. Il y avait du Vent. Le soleil était Jaune. Et je ne croyais plus en Dieu depuis des lustres. J'ai fait le rapprochement de tous ces paramètres (Soleil=Levant, Jaune=Japonais, Vent=Ouragan, Dieu=Boniment). J'ai commencé à écrire. Incroyable mais vrai !

Ensuite, je suis allé trouver mon rédacteur en chef, à Pif Gadget (c'était, avec Formule 1 - Editions Fleurus - le seul journal qui acceptait parfois mes piges d'apprenti scénariste) et je lui ai présenté le nouveau bébé sous la forme d'un feuilleton découpé en dix pages sur le modèle de mon Zorro au masque rouge. Il a dit non d'emblée.

Alors j'ai été voir les Editions Larousse (qui faisaient à ce moment-là des bandes dessinées sur le thème historique). Mais les Editions Larousse n'ont pas donné suite. J'ai oublié ce Vent des Dieux pendant trois ans avant de le faire lire aux Editions Glénat qui venaient d'acheter Les 7 Vies de L'Epervier et de récupérer les droits de Masquerouge. Ils m'ont très gentiment fait signer un contrat. C'était en février ou mars 85. Henri Filippini, qui était déjà directeur de collection dans ce temps très ancien, m'a montré les dessins de Philippe Adamov, qui venait de se compromettre dans une petite histoire pour Okapi (Editions Bayard) qui ne cassait pas des briques mais laissait pourtant présumer quelques espoirs (à condition de ne pas être difficile).

Puis il (Filippini) a tenu à me faire rencontrer le personnage (je parle d'Adamov) et force m'a alors été donnée d'admettre que ce petit bonhomme, avec sa face de Lune sous ses cheveux bouclés, n'avait pas que des défauts et qu'il pouvait (peut-être) gagner à être connu. Il était prêt à tout (à suer Sang et Eau). Et c'est ainsi qu'est né le premier épisode de cette grande saga, pompeusement intitulé Le Sang de la Lune... avant de générer Les Eaux de Mortelune.

C'est aussi con que ça.

Bien sûr, ce Japon-là n'est pas exactement le même que celui évoqué par les Mangas qui fleurissent aujourd'hui dans nos supermarchés. Mais lequel est le plus vrai ? Je vous laisse seuls juges...

PATRICK COTHIAS

De quelques histoires du Vent des Dieux...

LE SANG DE LA LUNE

Le Sang de la Lune propose au lecteur un plongeon dans l'espace et le temps pour l'entraîner dans le "Moyen Âge" japonais (milieu de la seconde moitié du XIIIᵉ siècle, quelques années avant les premières tentatives d'invasion des Mongols du grand Khan Kubilaï dont les tribulations feront l'objet du cent cinquante-six millième tome). L'autorité de l'Empereur est alors morcelée en une mosaïque de petits seigneurs locaux qui ont pouvoir de vie et de mort sur un village, une région, une province.

L'histoire qui nous occupe a très précisément pour cadre l'île Sado, aux confins de l'archipel. Pour le lecteur c'est un univers déroutant dominé par une sorte de Bouddha cruel (et assez despotique), le Sire Oshikaga (dont le nom est encore une pure invention).

Autour de ce Daïmyo (personnage gras et laid) qui jouera naturellement le rôle du méchant (mais saura par la suite surprendre le lecteur par certains raffinements qui prouvent qu'il ne faut pas se fier aux apparences), quelques guerriers superbes forment une garde d'acier. Liés à lui par le "bushido" (le code d'honneur des Samouraïs, qui peut se rapprocher de notre Occident Chrétien), ils doivent fidélité à la Maison de leur maître. En cas de désastre du clan, ils ne pourraient survivre à ce daïmyo sans essayer de le venger. S'ils échouent, ils n'auront plus qu'à recourir au sui-

cide traditionnel dont cet album ne vous cachera aucun détail dans une succession de très gros plans très saignants qui composeront (peut-être ?) une des planches les plus crues, les plus époustouflantes de la bande dessinée.

Mais n'anticipons pas. Pour le moment présent (dans les trois premières vignettes de la première page), le sire Oshikaga n'a pas trop d'inquiétude. Rien ne semble pouvoir ébranler sa puissance. Pourtant un messager arrive pour l'informer que la révolte gronde parmi les paysans...

Une compagnie de samouraïs est donc formée pour mater les rebelles.

Tchen Qin, le favori du sire Oshikaga, l'amant de sa première concubine attitrée (la jolie Pimiko) et très accessoirement le héros de la série, se met en route à la tête de douze compagnons, parmi lesquels se révéleront progressivement les personnalités assez hautes en couleur (mais où le jaune domine) de Toshi, Kaï, Bafu (les copains de Tchen Qin), ainsi que celle de Kozo (le traître de service).

Tchen Qin et son parti ne doutent pas de leur victoire, et le héros va même jusqu'à philosopher en plaignant son gibier (ce qui laisse à penser qu'il n'est pas qu'une simple machine à tuer). Mais hélas, tout ne se déroule pas comme prévu...

A la fin de l'épisode, Tchen Qin meurt au combat. Kozo le lâche survit, et Bafu, le plus sympathique de toute la bande, coupable d'avoir failli, se fait hara-kiri.

La futilité de la puissance et de la gloire, la monstruosité de la vie et de la mort : tel est donc le réel propos de cette intrigue...

LE VENTRE DU DRAGON

Dans le Japon médiéval, un jeune
guerrier, Tchen Qin, le samouraï à la
bannière rougie du "Sang de la Lune",
a disparu dans une embuscade tendue
par des paysans révoltés contre son
seigneur Oshikaga. Persuadée, de
retrouver son cadavre et de reconnaître
son corps réincarné, sa maîtresse,
Pimiko Zu, courtisane de son état,
part à sa recherche sur les lieux du
combat. Deux trajets seront alors mis
côte à côte : l'itinéraire de Pimiko, et
celui de son homme en route vers le
Pays des Morts. Une route pavée de
mauvaises intentions et d'obstacles
les plus divers. Un passage au pays des
Immortels, un séjour dans Le Ventre
du Dragon, une image de l'enfer, un
affrontement sanglant avec les fantômes de ses anciennes victimes et,
au bout du tunnel, une étreinte
sexuelle avec Kwannon, gardienne de
la Source inépuisable. Une femme
diabolique, aux mille visages, qui
*"veille, et qui chasse tous ceux qui ne sont
pas capables, en fin de périple, d'affronter les espaces intérieurs, plus subtils,
pour découvrir la vérité cachée derrière
les apparences"*. Un long voyage ini-
tiatique et onirique vers la réincarna-
tion.
*"La mort est dans l'ordre des choses, et
en tout point conforme à la loi naturelle.
Pour un guerrier, mourir est un moyen
de renaître dans une autre vie"*...

L'HOMME OUBLIÉ

Tchen Qin a enfin quitté le royaume des morts grâce aux soins de Mara, la femme réprouvée et la prostituée, mais il y a laissé une partie de sa mémoire. Il erre dans la montagne en quête de son passé, alors que Pimiko compte sur l'aide de Nichiren pour le retrouver...

LAPIN-TIGRE

Toujours aux côtés de Mara qui l'a soigné, Tchen Qin tente de retrouver son identité. Il hésite entre celle du tigre... ou du lapin.

Bien loin des rêves d'honneur stériles des samouraïs, Tchen (devenu Mizu, du nom de la rivière où Mara l'a trouvé) poursuit sa propre quête, pendant que son ancien seigneur Oshikaga mène une guerre sans merci contre un mystérieux "Tigre" qui semble aussi beau parleur que fin tacticien.

Tchen Qin devra les affronter l'un après l'autre en combat singulier pour retrouver son honneur et sa liberté...

COTHIAS • ADAMOV

LE VENT DES DIEUX

Le sang de la lune

—— TOME 1 ——

Glénat

Bibliothèque nationale du Québec

COLLECTION VECU

Abraham Stone
Joë Kubert
1. Rat des villes

Les aigles décapitées
Pellerin-Kraehn
1. La nuit des jongleurs
2. L'héritier sans nom
3. les éperons d'or
Kraehn
4. L'hérétique
5. St-Malo de l'Isle
Kraehn-Pierret
6. Alix
7. La prisonnière du donjon
8. La marque de Nolwenn
9. L'otage

Arno
Jacques Martin-André Juillard
1. Le pique rouge
2. L'œil de Kéops
3. Le puits nubien
Jacques Martin-Jacques Denoël
4. 18 Brumaire
5. L'ogresse

Les chemins de la gloire
Bucquoy-Hulet
1. Le temps des innocents
2. Un jeune homme ambitieux
3. La kermesse ensablée
Hulet
4. La valse à l'envers

Les chemins de Malefosse
Bardet-Dermaut
1. Le diable noir
2. L'attentement
3. La vallée de misère
4. Face de suie
5. L'or blanc
6. Tschäggättä
7. La vierge
8. L'herbe d'oubli

Chronique de la maison Le Quéant
Bardet-Jusseaume
1. Le pain enragé
2. Les quarante-huitards
3. Les fils du Chélif
4. Léïla
5. Les portes d'Alger
6. Rubicon

Chroniques de la nuit des temps
Houot
1. Ars engloutie

Cœur brûlé
Cothias-Déthorey
1. Le chemin-qui-marche
2. La petite guerre
3. La robe noire

Dampierre
Swolfs
1. L'aube noire
2. Le temps des victoires
Swolfs-Eric
3. Les émissaires
Swolfs-Legein
4. Le complot de Laval
5. Le cortège maudit

Les écluses du ciel
Rodolphe-Rouge
1. La marque de Morgane
2. Les chevaux de la nuit
3. Gwen d'Armor
Rodolphe-Allot
4. Le pays blanc
5. Tombelaine
6. Tiffen

L'empereur du dernier jour
Cothias-Boubé
1. Le prince vautour
2. Joachim

Le fou du roy
Cothias-Brice
1. Le pavillon des singes
2. L'école des bouffons

Giacomo C.
Dufaux-Griffo
1. Le masque dans la bouche d'ombre
2. La chute de l'ange
3. La dame au cœur de suie
4. Le maître et son valet
5. Pour l'amour d'une cousine
6. La bague des Fosca
7. Angelina

Les héritiers du soleil
Convard
1. Le masque de mort
2. Le prophète de sable
3. La veuve-mère
4. Noir l'amour
5. Néphérouré !
Convard-Bihel
6. La princesse endormie
7. L'architecte immobile

Les héros cavaliers
Cothias-Rouge
1. Perd-cheval
2. La grande ourse
Cothias-Tarral
3. Mark de Cornwall
4. L'Esprit de vermine

Justin Hiriart
Fructuoso-Harriet
1. Écume de sang
2. Le voyage maudit
3. Le secret
4. Le brûlot
5. Le navire de Satan

Louis la Guigne
Giroud-Déthorey
1. Louis la Guigne
2. Moulin rouge
3. Un automne à Berlin
4. Le jour des faucons
5. L'escouade pourpre
6. Charleston
7. Les vagabonds
8. Fureur
9. Léo
10. Etchezabal
11. La 5e colonne

Les Morin-Lourdel
Maric-Baron Brumaire
1. Le clan Morini

Les maraudeurs de la lune rousse
Boutet-Bonodot
1. Le carnaval des gueux
2. Tranche ! Taille ! Tue !

Margot l'enfant bleue
Dimberton-Son
1. Le coq
2. Les deux Margot
3. La grande faucheuse

Marie-tempête
Cothias-Wachs
1. La fille de ker Avel
2. La fontaine aux faées
3. les embuscades
4. Le secret d'Émilie

Le masque de fer
Cothias-Rénier
1. Le temps de comédiens
2. Qui vengera Barrabas ?

Mémoires d'un aventurier
Dimberton-Hé
1. Pierre de Saint-Fiacre
2. Ariane
3. Opium

Ninon secrète
Prudhomme-Cothias
1. Duels
2. Mascarades

Les patriotes
Giroud-Lacaf
1. L'héritier perdu
2. Le grand saccage
3. Complot

Les pêcheurs d'étoiles
Moriquand-Lacaf
1. La fille du fleuve
2. Ballast
3. Les gueules noires
4. Marseille, 26, rue de la belle Marinière

Pieter Hoorn
Giroud-Norma
1. La passe des cyclopes
2. Les rivages trompeurs
3. La baie des Français

Les pionniers du nouveau monde
Charles
1. Le pilori
2. Le grand dérangement
3. Le champ d'en-haut
4. La croix de Saint-Louis
5. Du sang dans la boue
6. La mort du loup
Charles-Ersel
7. Crie-dans-le-vent
8. Petit homme

Le postillon
Joëlle Savey
1. Ce qu'a vu le vent de l'Est
2. La porte du temps
3. Le chant des escollers
4. Parfums d'Enfer

Poupée d'ivoire
Franz
1. Nuits sauvages
2. La griffe de Bronze
3. La reine oubliée
4. Le tombeau scythe
5. Le roi des singes

Les poux
Mouquet-Stalner
1. Ni Dieu, ni maître
2. Ni rouge, ni noir
3. Nitchevo ! Camarades

Les 7 vies de l'épervier
Cothias-Juillard
1. La blanche morte
2. Le temps des chiens
3. L'arbre de mai
4. Hyronimus
5. Le maître des oiseaux
6. La part du diable
7. La marque du Condor

De silence et de sang
Corteggiani-Malès
1. La nuit du tueur de loups
2. Mulberry street
3. Dix années de folie
Corteggiani-Mitton
4. Les vèpres Siciliennes
5. Les 7 piliers du chaos
6. Omerta
7. Le dixième Arcane majeur
8. 4 Provinces de l'Avé Maria
9. Je n'étais même pas là…

Simon Braslong
Harriet-Astrain
1. Quand vient la mousson
2. La dernière chance
3. Testament

Les souvenirs de la pendule
Cothias-Norma
1. Schönbrunn
2. L'étrangère
3. La vie de château

La sueur du soleil
Harriet-Mata
1. L'indien d'Eldorado
2. La perle du Cubagua
3. Le peuple Jaguar
4. Les marais de l'Anaconda
5. Le serpent de sang

Sundance
Suro-Corteggiani
1. Le jeu de l'homme mort

Taïga
Savey-Giroud
1. Le cosaque

Timon des blés
Bardet-Arnoux
1. Le rêve d'Amérique
2. Les insurgents
3. L'habit rouge
4. Les manteaux noirs
Bardet-Klimos
5. La mouette
6. "Patriote"
7. Le Mont-libre
8. Le p'tit Roi

Les tours de Bois-Maury
Hermann
1. Babette
2. Eloïse de Montgri
3. Germain
4. Reinhardt
5. Alda
6. Sigurd
7. William
8. Le Seldjouki
9. Khaled
10. Olivier

Le vent des Dieux
Cothias-Adamov
1. Le sang de la lune
2. Le ventre du dragon
3. L'homme oublié
4. Lapin-Tigre
5. La balade Mizu
Cothias-Gioux
6. L'ordre du ciel
7. Barbaries
8. Ti Fun
9. Cambaluc
10. Le Guerkek

Le voyage du Bateleur
Autheman-Déthorey
1. La dame de Dorfgrau

 Réalisation Partenaires
Dépôt légal Octobre 1995

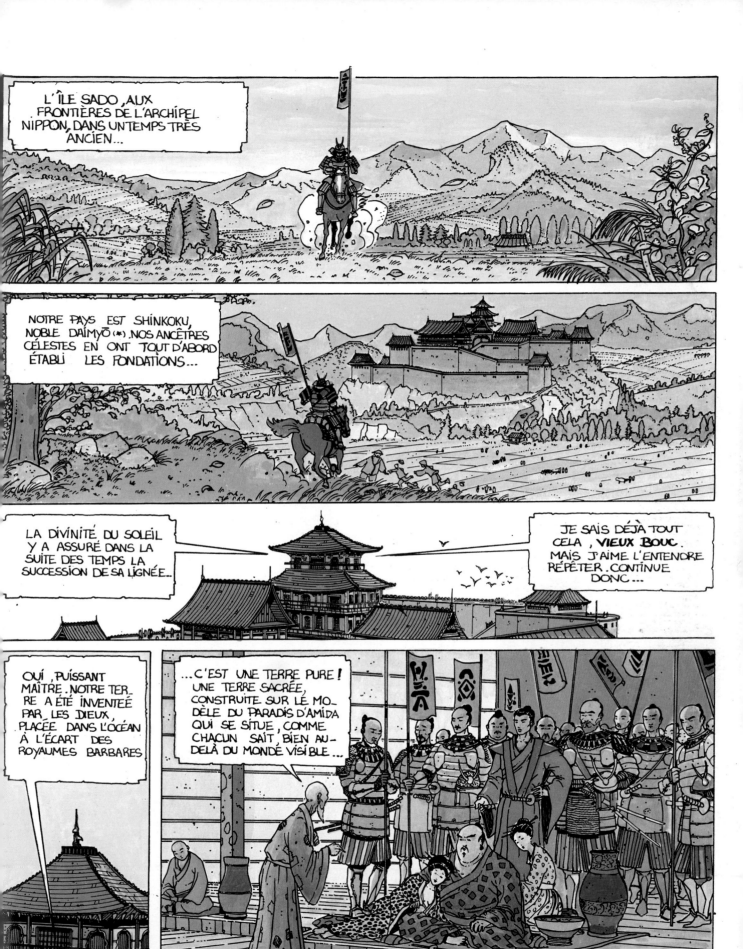

L'ÎLE SADO, AUX FRONTIÈRES DE L'ARCHIPEL NIPPON, DANS UN TEMPS TRÈS ANCIEN...

NOTRE PAYS EST SHINKOKU, NOBLE DAÏMYŌ (*). NOS ANCÊTRES CÉLESTES EN ONT TOUT D'ABORD ÉTABLI LES FONDATIONS...

LA DIVINITÉ DU SOLEIL Y A ASSURÉ DANS LA SUITE DES TEMPS LA SUCCESSION DE SA LIGNÉE...

JE SAIS DÉJÀ TOUT CELA, VIEUX BOUC. MAIS J'AIME L'ENTENDRE RÉPÉTER. CONTINUE DONC...

OUI, PUISSANT MAÎTRE. NOTRE TER- RE A ÉTÉ INVENTÉE PAR LES DIEUX, PLACÉE DANS L'OCÉAN À L'ÉCART DES ROYAUMES BARBARES

...C'EST UNE TERRE PURE ! UNE TERRE SACRÉE, CONSTRUITE SUR LE MO- DÈLE DU PARADIS D'AMIDA QUI SE SITUE, COMME CHACUN SAIT, BIEN AU- DELÀ DU MONDE VISIBLE...

(*) SEIGNEUR FÉODAL.

①

CELA N'EST VRAI QUE POUR NOTRE MONDE, SEIGNEUR RÉGENT. RIEN DE TEL N'EXISTE DANS LES AUTRES EMPIRES. C'EST POURQUOI NOTRE JAPON EST APPELÉ SHINKOKU: LE PAYS DES DIEUX!...

QUAND AUX KAMI...

SEIGNEUR RÉGENT, UN CAVALIER DÉSIRE T'ÊTRE PRÉSENTÉ...

IL EST PORTEUR DES SABRES(*) ET ARBORE UNE BANNIÈRE AUX COULEURS IMPÉRIALES...

QU'IL ATTENDE COMME LES AUTRES DANS L'ANTI-CHAMBRE DES FOUR-NISSEURS...

IL FAUT D'ABORD QUE JE M'INSTRUISE DES VÉRITÉS ÉLÉ-MENTAIRES DE CET ÉPOUVAN-TAIL PUANT...

MAIS DAIMYÔ, L'HOMME PRÉTEND QUE L'EMPEREUR LE MANDATE ET NE CRAIGNEZ VOUS PAS...

JE NE CRAINS RIEN, VALET. RIEN NI PERSONNE! PAS MÊME L'EMPEPEUR!! LA CAPITALE EST LOIN...

PAS SI LOIN QU'IL PARAÎT, NOBLE DAIMYÔ, PUISQUE J'EN VIENS...

!? !? !? !?

PAR LES TRIPES DU BUDDHA! COMMENT OSES-TU... QUI T'A PERMIS!?...

(*) SIGNE DISTINCTIF DE LA NOBLESSE

②

PARDONNE MON IMPUDENCE, ET MA HARDIESSE, PUISSANT SEIGNEUR OSHIKAGA MAIS L'AFFAIRE QUI M'AMÈNE NE PEUT SOUFFRIR D'AUCUN DÉLAI...

??

...ET C'EST UNE BONNE NOUVELLE...

UNE BONNE NOUVELLE ! ALORS, DÉPÊCHE-TOI, PARLE SANS DÉTOURS.

TON EMPEREUR GLORIEUX GO TOBA, A ENTENDU PARLER DE TES LOYAUX SERVICES...

HEIN ? MES LOYAUX SERVICES !?!? SI C'EST UNE PLAISANTERIE...

IL TE NOMME GÉNÉRALISSIME SEI-I-TAÏ SHOGUN !

AUTREMENT DIT, UN VULGAIRE MERCENAIRE ! UN SIMPLE CHEF D'ÉTAT MAJOR, COMME TOUS CEUX QUI, PAR LE PASSÉ, ONT AIDÉ LES EMPEREURS À COMBATTRE LES BARBARES !!...

JE NE SUIS PAS UN MEMBRE DE L'ARMÉE IMPÉRIALE ET N'EN AI NUL DÉSIR ! SHOGUN ? TRÈS PEU POUR MOI ! JE VAUX BIEN MIEUX QUE CELA !!

③

LAISSE-MOI FINIR, SEIGNEUR RÉGENT : LE TITRE DE SHOGUN N'A, JUSQU'À CE JOUR, ÉTÉ PORTÉ QUE TEMPORAIREMENT PAR LES NOBLES FIDÈLES AUX INTÉRÊTS DE L'EMPIRE, ET PENDANT LA DURÉE DE L'EXPÉDITION...

L'EMPEREUR GO TOBA TE L'ATTRIBUE, CETTE FOIS, À VIE! ET IL PRÉCISE QUE TON PRESTIGE RE-JAILLIRA SUR TES HÉRITIERS!!...

UN TITRE RONFLANT FAIT SUR MESURE, EN QUEL-QUE SORTE! RIEN QUE POUR MOI!! C'EST TROP D'HONNEUR!!...

ET J'IMAGINE QUE TON EMPEREUR ESPÈRE, EN RETOUR, QUELQUES FAVEURS...

"FAVEURS" N'EST PAS LE TERME EXACT, SEIGNEUR RÉ-GENT OSHIKAGA. DISONS PLUTÔT "RESPECT DES LOIS"...

L'EMPEREUR GO TOBA A ENTENDU VANTER LA GRANDEUR DE TES FIEFS, AINSI QUE LA VAILLANCE DE TES NOBLES GUERRIERS···

TA MAISON EST PROSPÈRE ET TES DOMAINES REGROUPENT UN TRÈS GRAND NOMBRE DE MYÔ(*)

CHAQUE MYÔ INFÉODÉ TE VERSE SA PART D'IMPÔT QUI EST, JE CROIS, D'UN PEU PLUS D'UN TIERS DES RÉCOLTES...

L'EMPEREUR GO TOBA APPRÉCIE LA RICHESSE. IL DÉSIRE SIMPLEMENT SA PART DES BÉNÉFICES.

(*) VILLAGE. EXPLOITATION. AGRICOLE.

TON EMPEREUR EST UN DOUX RÊVEUR, ET TOI, UN IMBÉCILE, D'AVOIR OSÉ VENIR ME FAIRE PART DE TES ILLUSIONS...

JE SUIS UN SAMURAÏ AU SERVICE DE SON MAÎTRE! MA VIE LUI APPARTIENT...

ENCORE UNE ILLUSION!, SAMURAÏ!

RIEN DE CE QUI EXISTE D'UN BORD À L'AUTRE DE L'ÎLE N'APPARTIENT À L'EMPEREUR. OBJETS INANIMÉS, VÉGÉTAUX, BÊTES ET GENS, TOUT EST À MOI ET À MOI SEUL! TA VIE NE FAIT PAS EXCEPTION!...

TCHEN QIN!

OUI DAIMYÔ?...

LA VUE DE CE PANTIN MISÉRABLE M'IMPORTUNE...

DOIS-JE LE RACCOMPAGNER JUSQU'AU RIVAGE, DAIMYÔ,

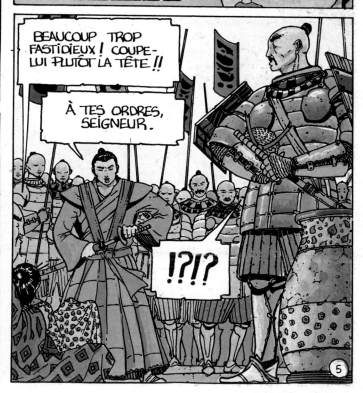

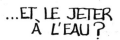

...ET LE JETER À L'EAU?

BEAUCOUP TROP FASTIDIEUX! COUPE-LUI PLUTÔT LA TÊTE!!

À TES ORDRES, SEIGNEUR.

!?!?

⑤

MERCI TCHEN QIN ! JE **SAVAIS** BIEN POU- VOIR COMPTER SUR TOI.

OÙ T'EN-VAS-TU ?

LAVER MON SABRE AU PUITS AVANT QUE TOUT CE SANG N'EN AIT SOUILLÉ LA LAME...

LES MAÎTRES PROPRIÉTAIRES DE TES MYÔ INNOMBRABLES ATTENDENT TOUJOURS TON BON PLAISIR DANS L'ANTI- CHAMBRE DES FOURNISSEURS

DOIS-JE LES PRIER DE PARTIR, POUR REVENIR PLUS TARD, MAÎTRE ?

TOUTES CES ÉMOTIONS M'ONT BRISÉ ET MES SOU- VENIRS SONT FLOUS, QUE VOULAIENT-ILS DÉJÀ ?

TE PAYER LEUR TRIBUT.

ALORS, QU'ILS ENTRENT VITE !

POURQUOI ME QUITTES- TU, PIMIKO ?

J'AI BESOIN DE PRENDRE L'AIR... AVEC TA PERMISSION...

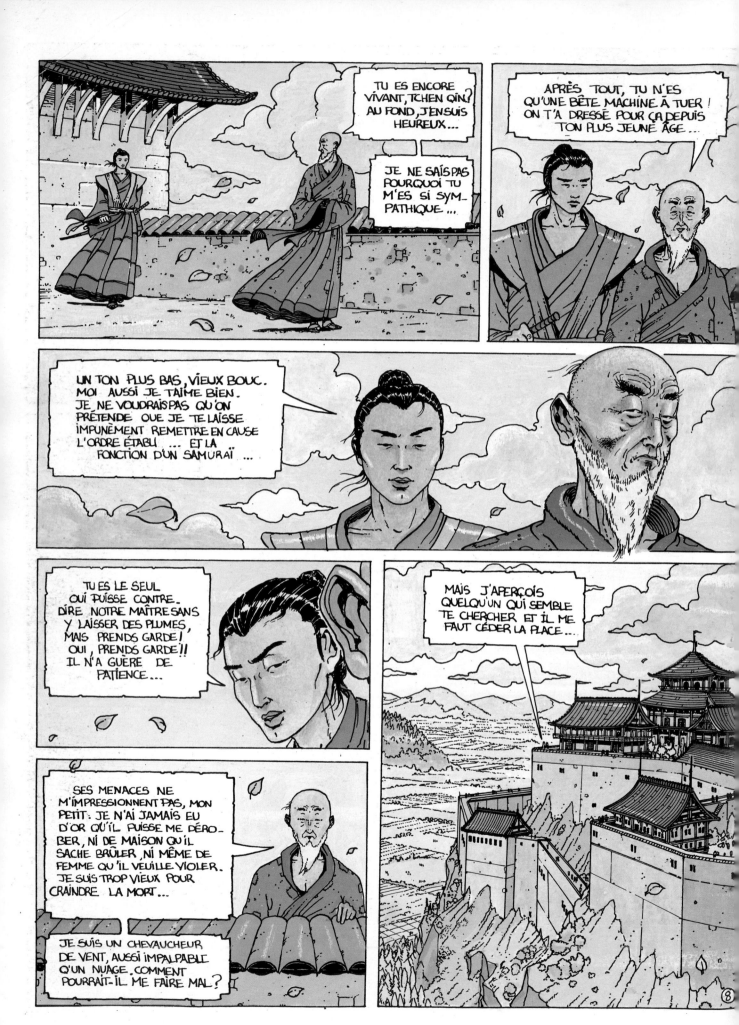

QUEL ÉTRANGE PERSONNAGE ! J'AI SOUVENT PEUR POUR LUI...

JE CROIS QU'IL NE FAUT PAS. IL EST LE SEUL, SANS DOUTE, À SAVOIR CE QU'IL FAIT...

"LE SEUL", TCHEN ?

VIENS...

J'AI ENVIE DE TOI...

9

QUAND DOIS-JE ME METTRE EN ROUTE ?...

C'EST TOI QUI EN DÉCIDES, MAIS À MON HUMBLE AVIS, LE PLUS TÔT SERAIT LE MIEUX...

LE SIRE DAIMYŌ ESTIME QUE DOUZE GUERRIERS D'ÉLITE DEVRAIENT TRÈS LARGEMENT SUFFIRE À LA BESOGNE...

BAFU, TOSHI ET MOI SERONT DU NOMBRE. BUSHI KŌZŌ ATTEND DÉJÀ DANS LA SALLE D'ARMES...

BUSHI KŌZŌ ! JE ME DOUTAIS BIEN QUE CE VER PARFUMÉ ÉTAIT AU NOEUD DE L'INTRIGUE !!!

ALLONS NOUS ÉQUIPER. AU REVOIR PIMIKO...

SAYONARA, TCHEN QIN ET REVIENS-MOI ENTIER.

JE T'ATTENDRAI DE TOUTES MES FORCES.

TU AS L'AIR BIEN SÉVÈRE TCHEN QIN, VOYAGER EN MA COMPAGNIE TE DÉPLAÎT DONC À CE POINT ?

ADAMOV.

COTHIAS

⑫

JE NE RÉPONDRAI PAS, KŌZŌ. MES MOTS SERAIENT ACIDES, ET TU SERAIS EN DROIT DE T'EN SENTIR TRÈS OFFENSÉ! ENSUITE...

NOUS DEVRIONS NOUS BATTRE!...

NOUS BATTRE? C'EST UNE IDÉE! IL SERAIT AMUSANT DE MONTRER À TOUS CES MIGNONNETS, ÉBAHIS, COMMENT LE GRAND TCHEN QIN, LE FAVORI DU MAÎTRE, SE COMPORTE DEVANT UN ADVERSAIRE À SA MESURE...

VIENS! APPROCHE MON JOLI! MON GRAND DARD EST POINTÉ ET TOUT À TON SERVICE!!

NON KŌZŌ! PAS DE SANG, NOUS AVONS MIEUX À FAIRE!...

CROIS-TU, BAFU? DOMMAGE...

POURQUOI CE MÉPRIS, TCHEN QIN? SIRE KŌZŌ EST VASSAL DE SIRE OSHIKAGA!

SES PÈRES ONT TOUJOURS SU PRESSER COMME DES CITRONS NOS STUPIDES CULS-TERREUX, POUR GONFLER LE TRÉSOR DU CLAN OSHIKAGA. KŌZŌ MARCHE SUR LEURS TRACES..

IL EST BUSHI KŌZŌ, AVEC RANG DE SAMURAÏ. SES DEUX SABRES ET SES FLÈCHES PEUVENT TÉMOIGNER DU SANG DES GUEUX QUI ONT OSÉ DISCUTER LE POUVOIR, QUE NOUS TOUS VÉNÉRONS. MAIS IL N'A QUE DEUX BRAS. LES COQUINS SONT DEUX CENTS, DEMAIN ILS SERONT MILLE!

13

KŌZŌ EST ÉGALEMENT UN SEIGNEUR PASSIONNÉ AU PHYSIQUE AGRÉABLE ...

SES GOÛTS IMMODÉRÉS POUR LES AFFAIRES DU SEXE SONT BIEN CONNUS DE TOUS, À CENT LIEUES À LA RONDE .!..

ET SON PHALLUS DRESSÉ FAIT DE L'OMBRE À TCHEN QIN .

KŌZŌ PEUT BIEN AVOIR LE MEMBRE QUI LUI PLAÎT, JE NE SUIS PAS ENVIEUX !

LES VOLUPTÉS DU BAS-VENTRE FONT PARTIE DE LA VIE COMME LE BOIRE ET LE MANGER ET IL N'Y A PAS DE RAISON D'Y ATTACHER PLUS D'IMPORTANCE QU'IL N'EST NÉCESSAIRE ...

KŌZŌ N'A PAS COMPRIS CETTE VÉRITÉ ET SES EXCÈS L'ENTRAÎNENT SUR UNE VOIE PÉRILLEUSE !

TA .TA .TA .! ET PUIS QUOI ? DEPUIS QUAND EST-CE UNE HONTE D'AIMER LES HOMMES BIEN FAITS ET LES PETITS GARÇONS ?!

EUH... KŌZŌ N'A PAS TORT, TCHEN .NOUS-MÊMES, QUAND NOUS ÉTIONS ÉTUDIANTS CHEZ LES MOINES ...

SANS DOUTE BAFU .MAIS NOUS AVONS GRANDI, ET CHOISI DE MARCHER DANS LE BUSHIDO : LE CHEMIN DU GUERRIER POUR LEQUEL NOUS SOMMES NÉS .

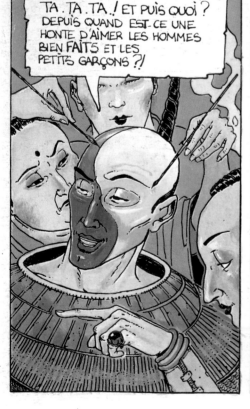

KŌZŌ S'EST OBSTINÉ DANS LA VOIE DU PLAISIR, À CAUSE DE SES CAPRICES ET DE SON ÉGOÏSME, NOUS ALLONS MASSACRER DES DIZAINES D'INNOCENTS !

TA...TA...TA... DOUCEMENT, MON JOLI COQ ! DOUCEMENT !!... EST-CE MA FAUTE SI MES SERFS S'INSURGENT CONTRE LES DROITS DE SIRE OSHIKAGA ET REFUSENT STUPIDEMENT DE PAYER LEUR IMPÔT

C'EST TROP FACILE, KŌZŌ, IL Y A AUTRE CHOSE QUE TU NE VEUX PAS DIRE !!...

"AUTRE CHOSE", TCHEN ? À QUOI SONGES-TU ?

NOUS VERRONS BIEN. PARTONS ! IL RESTE ENCORE DEUX HEURES DE SOLEIL ET JE NE VEUX PAS LES PERDRE !

PAR LES TRIPES DU BUDDHA ! VOILÀ QUI EST ENFIN PARLER AVEC SAGESSE !...

UN SAMURAÏ D'ÉLITE N'A PAS À S'ENCOMBRER DE CES IDÉES SCABREUSES QUI ALOURDISSENT LA TÊTE ET AMOLLISSENT LES BRAS !...

UN SAMURAÏ D'ÉLITE DOIT SE PRÉOCCUPER EXCLUSIVEMENT DE VAINCRE L'ENNEMI QU'ON LUI A DÉSIGNÉ... OU DE MOURIR POUR PLAIRE À SON SUZERAIN !

UN SAMURAÏ D'ÉLITE DEVRAIT AUSSI MONTRER UN PEU PLUS DE DISCRÉTION. NE CRAINS-TU PAS D'AVOIR ABUSÉ DES RUBANS ET DES COLIFICHETS ?

NON TOSHI. AU CONTRAIRE : RIEN N'EST JAMAIS TROP BEAU POUR ALLER À LA GUERRE !

JE NE VEUX PAS QUE L'ENNEMI, SI, PAR MALHEUR, IL PREND MA TÊTE, PUISSE SE PLAINDRE DE SON NÉGLIGÉ !

LES PAYSANS NE COUPENT PAS LES TÊTES, KAÏ QU'EN FERAIENT-ILS ?

ET PUIS, DE TOUTES MANIÈRES, ILS N'AURONT GUÈRE LE TEMPS DE FAIRE DES GORGES CHAUDES AUTOUR DE TON CADAVRE,

TON PARFUM LES FERA TOMBER RAIDES COMME DES MOUCHES, AU PREMIER VENT D'AUTOMNE.

ENCORE UN MOT SUR CE TON, TOSHI, ET JE TE BRISE EN DEUX !

TCHEN QIN A BIEN DE LA CHANCE : IL NE CRAINT PAS DE MOURIR...

... IL SAIT QU'IL LAISSE AU MOINS QUELQU'UN POUR LE REGRETTER.

PARDON, PETITE SIRÈNE...

OH ! C'EST ENCORE TOI, MOINE !

LA PORTE DU GYNÉCÉE ÉTAIT RESTÉE OUVERTE, ET JE ME SUIS IMAGINÉ QUE NOUS POURRIONS PEUT-ÊTRE MÊLER NOS SOLITUDES...

C'EST UNE PROPOSITION COCHONNE ?

NON PIMIKO. HÉLAS ! JE SUIS TROP VIEUX ET LAID POUR PRÉTENDRE TE CHARMER PAR MES APPÂTS VIRILS ET FINIR LE TRAVAIL COMMENCÉ PAR TCHEN QIN...

16

JE NE SONGEAIS QU'À BAVARDER POUR ESSAYER DE TUER LE TEMPS.

"TUER", POURQUOI TOUJOURS TUER??

TCHEN QIN M'A DIT UN JOUR QUE LA MORT LE FASCINAIT...

IL CROIT QU'ELLE EST LE SEUL HONNEUR DU SAMURAÏ ET LE MOYEN UNIQUE DE SE DÉBARRASSER DES TENTATIONS DOUTEUSES ET DES AMBIGUÏTÉS DE NOTRE MONDE D'IMPERTINENCE. ....

TCHEN QIN RÊVE D'UN AU-DELÀ PLUS STABLE ET PACIFIQUE ET JE CRAINS QU'IL SE LASSE DES ILLUSIONS DU TEMPS AU POINT DE DEVANCER L'APPEL DE LA VIEILLESSE POUR PROVOQUER LA MORT PLUS QU'IL N'EST RAISONNABLE ET GOÛTER SON ÉTREINTE...

TCHEN QIN RÊVE AU-DESSUS DE SES FORCES...

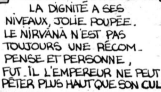

QUE VEUX-TU DIRE, VIEUX BOUC ? QUE TCHEN QIN N'EST PAS DIGNE D'ENTRER AU NIRVANA ??

LA DIGNITÉ A SES NIVEAUX, JOLIE POUPÉE. LE NIRVANA N'EST PAS TOUJOURS UNE RÉCOMPENSE ET PERSONNE, FUT-IL L'EMPEREUR NE PEUT PÉTER PLUS HAUT QUE SON CUL...

TCHEN QIN EST UN GUERRIER RESPECTUEUX DES LOIS. C'EST AUSSI UN PARFAIT SERVITEUR DU BUDDHA. IL RÉPÈTE BIEN LES LEÇONS DE SES MAÎTRES...

...MAIS C'EST SURTOUT UN FILS DU PEUPLE!... UN PAYSAN !! ...

UN PAYSAN !?!?

⑰

OUI PIMIKO : UN **PAYSAN**, DANS LE SENS LE PLUS NOBLE DU MOT...

UN HOMME DE CE PAYS QUI AIME PAR-DESSUS TOUT SON COIN DE TERRE NATALE ET QUI SE RÉJOUIT D'Y VOIR RÉGNER L'ORDRE ET LA PAIX...

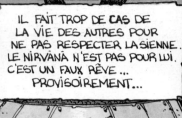

IL FAIT TROP DE **CAS** DE LA VIE DES AUTRES POUR NE PAS RESPECTER LA SIENNE. LE NIRVÂNA N'EST PAS POUR LUI. C'EST UN FAUX RÊVE... PROVISOIREMENT...

LA NUIT TOMBE ET LES BÊTES SONT DÉJÀ FATIGUÉES. NOUS CAMPERONS ICI, À L'ABRI DE CE BOIS.

NOUS REPRENDRONS LA ROUTE DEMAIN, À L'HEURE DU TIGRE(*)...

TOSHI ÉTABLIRA LE PREMIER TOUR DE GARDE. BAFU, KÔZÔ ET KAÏ DRESSERONT LES TENTES...

TES TENTES, TCHEN ? À QUOI BON ?

UN SAMURAÏ D'ÉLITE N'A PAS BESOIN DE TENTE. L'HERBE LUI SERT DE MATELAS ET LA SELLE DE SA BÊTE FAIT UN BON OREILLER...

UN SAMURAÏ D'ÉLITE DOIT OBÉIR AUX ORDRES. LE CIEL EST À L'ORAGE...

BRAAAOOOM

PLOC

À L'ORAGE ? ALLONS DONC !

PLOC

(*) ENTRE 3 ET 5 HEURES DU MATIN.

FICHU TEMPS !

TU L'AS DIT !...

...ET JE CRAINS QUE CETTE EAU NE GÂCHE NOS MAQUILLAGES !... DE QUOI AURONS-NOUS L'AIR DEMAIN, À LA LUMIÈRE ?

BAH ! OUBLIONS DEMAIN POUR PROFITER PLEINEMENT DU JOYEUX TEMPS PRÉSENT. CE VIN EST DÉLICIEUX

SANS DOUTE, KÔZÔ... SANS DOUTE...

ALORS, POURQUOI CET AIR CONSTIPÉ ET GROGNON ?

JE SONGE À TOUS CES GENS QU'IL NOUS FAUDRA CHÂTIER...

C'EST UN GRAND PRIVILÈGE, LE SANG DES RUSTRES PROCURE DE SUBTILES JOUISSANCES QUE LES CARESSES DU TATAMI (*) NE POURRONT JAMAIS REMPLACER...

CE N'EST PAS MON AVIS !

ET MAINTENANT, DORMONS.

(*) LIT JAPONAIS.

TOUJOURS MÉLANCOLIQUE, TCHEN QIN ?

OUI, TOSHI. JE NE PEUX M'EMPÊCHER DE PENSER À CES HOMMES QUE NOUS ALLONS DEVOIR TUER.

JE NE ME BATS QUE PAR DEVOIR... OU PEUT-ÊTRE PAR HABITUDE...

ET TOI, KAÏ, POURQUOI COMBATS-TU ?

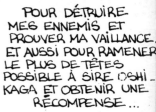

POUR DÉTRUIRE MES ENNEMIS ET PROUVER MA VAILLANCE... ET AUSSI POUR RAMENER LE PLUS DE TÊTES POSSIBLE À SIRE OSHI-KAGA ET OBTENIR UNE RÉCOMPENSE...

MOI AUSSI, KAÏ, J'AI LE SOUCI D'HONORER MA FAMILLE ET LE CHEF DE MON CLAN, EN RÉALISANT DE HAUTS FAITS D'ARMES AU PÉRIL DE MA VIE...

IL LE FAUT BIEN, POURTANT! LES TÊTES SONT LES SEULES PREUVES DES COMBATS VICTORIEUX...

J'EN AI PERSONNELLEMENT TRANCHÉ PLUS D'UNE CENTAINE QUI TRÔNENT DANS MON SALON!...

JE CHERCHE AUSSI LA RÉCOMPENSE POUR ÉTOFFER MON PATRIMOINE ET ASSURER L'AVENIR DES MIENS, MAIS JE DÉTESTE COUPER LES TÊTES! JE TROUVE CET USAGE DÉGOÛTANT!...

20

EH BIEN, ALLONS-Y VOIR !.

NON! ÇA PUE LE TRAQUENARD !...

UN TRAQUENARD? C'EST GROTESQUE! JAMAIS DES VA-NU-PIEDS N'AURAIENT ASSEZ D'AUDACE POUR OSER AFFRONTER DOUZE SAMURAÏS D'ÉLITE...

TU TE RÉPÈTES, AMI... ET TU SAIS MAL COMPTER : NOUS NE SOMMES PLUS QUE ONZE !...

METTONS DIX ET DEMI,...

?!..

?!!

CAR LE GRAND RUGISSANT PLANTÉ DROIT SUR SA BÊTE COMME UN ÉPOUVANTAIL EST SI LOURD QU'IL NE POURRAIT MONTER JUSQU'À MOI ET QU'IL COMPTE POUR MOITIÉ !

QUOI !?!? RECULER DEVANT CE BORGNE ???...

JE SUIS PEUT-ÊTRE BORGNE, GROS-LARD, MAIS POINT MANCHOT...

PAR LA VERGE D'AMIDA! CE VER DE TERRE PUANT A L'IMPUDENCE DE ME NARGUER !!...

MIEUX VAUT REBROUSSER CHEMIN POUR NOUS METTRE À L'ABRI...

ET JE M'EN VAIS TE LE PROUVER EN DÉCORNANT TA VANITÉ...

CHOC !

23

(*) NOM JAPONAIS POUR DÉSIGNER LA LIE DU PEUPLE, LA RACAILLE.

EUH ... KAÏ, SAUF TON RESPECT: JE CRAINS QUE NOUS N'AYONS TOUS AGI LÉGÈREMENT...

NOS MONTURES SONT MOULUES. TANDIS QUE CELLE DE CE DÉMON APPARAÎT FRAÎCHE COMME LA ROSÉE...

PEUH! UNE ROSSE SANS LIGNAGE! UNE HARIDELLE ABÂTARDIE!.. NOS BÊTES, MÊME ÉPUISÉES ET LOURDES DE NOS CUIRASSES, L'AURONT VITE RATTRAPÉE!...

27

PAR LE BUDDHA COMPATISSANT! NOUS ALLONS NOUS ROMPRE LES OS!!

PERSONNE NE VOUS OBLIGE À ME SUIVRE!

HARDI! MES JOLIS FER.VÊTUS! DU NERF! MES PETITES MARIONNETTES!!

PRENEZ BIEN GARDE OÙ VOUS POSEZ VOS GROS SABOTS, MES GENTILS SIRES...

PLEUTRE! COUARD! POULE MOUILLÉE!! REVIENS UN PEU ICI, QUE JE TE COUPE LES OREILLES EN POINTE ET LE NEZ!!!

JE T'ARRACHERAI LES COUILLES! JE LES FERAI SÉCHER POUR M'EN FAIRE DES BRELOQUES!!

HI, HI! POURQUOI PAS? CE SERAIT AMUSANT...

À CONDITION, BIEN SÛR, DE DEMEURER VIVANT SUFFISAM.MENT LONGTEMPS POUR VENIR ME LES PRENDRE!...

NE TE VANTE PAS SI FORT. TU ME CONNAIS TRÈS MAL!...

ET MOI, ENCORE BIEN DAVANTAGE!!...

28

MAIS LE PREMIER SANG EST TIRÉ ...

IL FAUT LE BOIRE JUSQU'À LA LIE!..

YAAAAAAH! MONTREZ-VOUS!!

ARRÊTEZ! INUTILE DE GASPILLER LES FLÈCHES! ET TÂCHEZ, À L'AVENIR, D'ÉPARGNER LES MONTURES. NOUS POURRONS EN TIRER UN BON PRIX ...

... NE TUEZ QUE LES HOMMES!

HI HI HI !

?!!

MAIS...

MALHEUR! LA RETRAITE EST COUPÉE !

NOUS NOUS SOMMES FAIT MANIPULÉS COMME DES CHÈVRES !

CHARGEZ! SABRONS CES CHIENS !

LE PONT EST TROP ÉTROIT...

TANT PIS! MIEUX VAUT ENCORE MOURIR FACE À L'ENNEMI QUE D'ESPÉRER SURVIVRE EN LUI TOURNANT LE DOS !

③

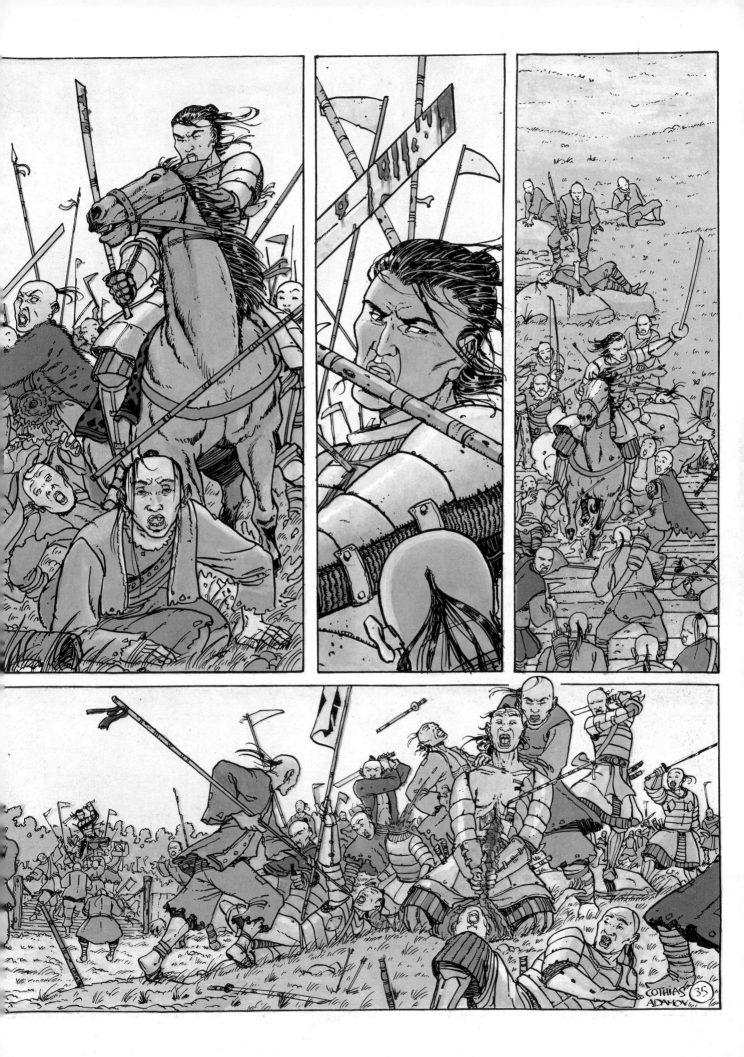

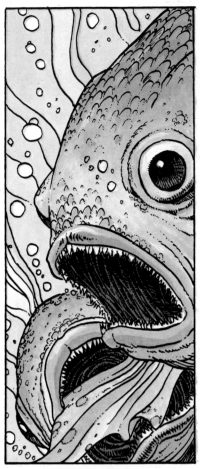

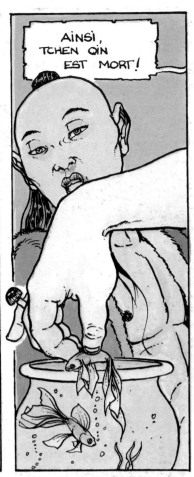

AINSI, TCHEN QIN EST MORT!

OUI, SIRE OSHIKAGA. DANS LA SITUATION OÙ NOUS L'AVONS LAISSÉ, C'ÉTAIT INÉVITABLE...

QU'ON BATTE LE RAPPEL DE MES TROUPES! LE BAN ET L'ARRIÈRE BAN!!

JE VEUX QUE DANS DEUX JOURS, LES CRÂNES DES MISÉRABLES SOIENT FICHÉS SUR DES PIQUES TOUT AUTOUR DU MANOIR!!

37

JE VEUX QUE TOUT LE MONDE PUISSE VENIR SE MOQUER D'EUX! UN ÉCRITEAU DIRA: CES CRÉATURES MARCHAIENT SUR DEUX PIEDS PAR ERREUR. CE N'ÉTAIENT PAS DES HOMMES! MOINS ENCORE QUE DES SINGES! LEURS NOMS ONT CESSÉ D'ÊTRE.

SIRE, AVEC VOTRE PERMISSION, J'AIMERAIS PRENDRE LA TÊTE DE CETTE EXPÉDITION PUNITIVE POUR VEILLER PERSONNELLEMENT À CE QUE VOS ORDRES SOIENT SCRUPULEUSE_MENT EXÉCUTÉS...

UN RIDICULE CAILLOU M'A PRIVÉ DU PLAISIR DE COMBATTRE AU CÔTÉ DE VOTRE PROTÉGÉ...

JE VEUX PRENDRE MA REVANCHE ET LAVER DANS LE SANG L'AFFRONT QUE CES GROSSIERS CULS-TERREUX INSOUMIS ONT FAIT À NOTRE RACE...

TU PARLES BIEN, KŌZŌ, JE CONNAIS TON ADRESSE AU MANIEMENT DU SABRE, DE L'ARC ET DU COUTEAU. ON M'A DIT TON COURAGE ET TON OBSTINATION...

JE SAIS AUSSI TON GOÛT POUR L'AMOUR ET LA MORT, LE LUXE DE RAFFINE_MENT ET DE PERVERSITÉ DONT TU SAIS ENROBER CHACUNE DE TES ACTIONS...

OUI, TU PEUX M'ÊTRE UTILE. JE TE RENDS MON ESTIME ET J'ACCÈDE À TES VOEUX...

VOTRE SUBLIMITÉ N'AURA QU'À S'EN LOUER... JE METTRAI TOUT MON ZÈLE...

JE VOUS DEMANDE PARDON, SEIGNEUR OSHIKAGA, MAIS UN POINT TÉNÉBREUX SUBSISTE, QU'IL SERAIT SANS DOUTE SAGE D'ESSAYER D'ÉCLAIRCIR...

UN POINT OBSCUR TOSHI?

OUI SIRE. ET JE PARTAGE À CE SUJET L'AVIS DU RE-GRETTÉ TCHEN: NOS AGRESSEUR N'ÉTAIENT CERTAINEMENT PAS DES PAYSAN ILS SE BATTAIENT TROP BIEN...

ALORS QUOI D'AUTRE?

38

PEUT-ÊTRE DES NINJAS, DES SAMURAÏS SANS MAÎTRE ! DES TUEURS MERCENAIRES...

C'EST COMPLÈTEMENT IDIOT !

QUI AURAIT INTÉRÊT À LOUER LES SERVICES DE SEMBLABLES CRAPULES ? QUI AURAIT LES MOYENS...

JE VOUS PRIE HUMBLEMENT D'EXCUSER MON AUDACE, SEIGNEUR OSHIKAGA, MAIS L'IDENTITÉ DE NOS AGRESSEURS NE FAIT POUR MOI PAS DE DIFFÉRENCE...

JE NE PEUX PAS SURVIVRE À MON HUMILIATION. MON HARMONIE EST MORTE. AUSSI, JE VOUS DEMANDE OFFICIELLEMENT LE DROIT DE ME FAIRE SEPPUKU...

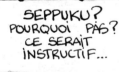

SEPPUKU ? POURQUOI PAS ? CE SERAIT INSTRUCTIF...

QUAND COMPTES-TU PROCÉDER À LA CÉRÉMONIE ?

IMMÉDIATEMENT, SEIGNEUR. ET DEVANT CETTE NOBLE ASSISTANCE RASSEMBLÉE...

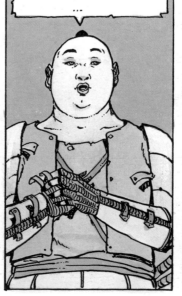

JE SUIS BAFU GO LAÏ, FILS DE GONO GO LAÏ, PETIT-FILS D'OSHONI TARAGONA GO LAÏ...

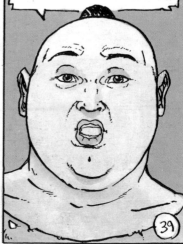

J'AI PRIS LA DÉCISION DE ME DÉTRUIRE MOI-MÊME POUR VENGER MON HONNEUR ET POUR PAYER MA DETTE ENVERS TOUS MES ANCÊTRES DONT J'AI DÉMÉRITÉ...

39

BAFU...
TU ES TOUT À FAIT SÛR
D'AVOIR BIEN RÉFLÉCHI...

OUI
MON AMI.
ABSOLUMENT!

REGARDEZ-MOI TOUS,
AFIN DE SAVOIR COMMENT
S'OUVRIR LE VENTRE
LORSQUE LA CHANCE FAIT
DÉFAUT AUX HOMMES
DE GUERRE...

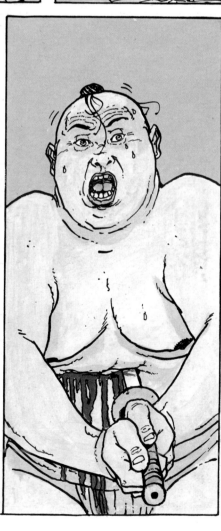

BAFU! TU EN FAIS TROP! LAISSE-MOI AU MOINS T'OFFRIR LE COUP DE GRÂCE RITUEL POUR TUER TA DOULEUR!... LAISSE-MOI COUPER TA TÊTE!!...

NON TOSHI. MERCI BIEN... TU ÉTAIS PLUS QU'UN FRÈRE... TU ÉTAIS MON AMANT ... NOUS AVONS PARTAGÉ LES BONS ET LES MAUVAIS JOURS MAIS CETTE DERNIÈRE ÉPREUVE M'APPARTIENT EXCLUSIVEMENT.

41

BAFU A CHOISI UNE MORT HÉROÏQUE ET DIGNE D'ÊTRE LOUÉE PAR LES GÉNÉRATIONS À VENIR ! UN BEL EXEMPLE POUR LA JEUNESSE, N'EST-CE PAS KŌZŌ ?

OUI, CERTES !

N'ES-TU PAS TENTÉ DE LE SUIVRE PLUTÔT QUE DE RÊVER DE GLORIOLE ?

NON, SEIGNEUR. LA MORT ME FASCINE, MAIS UNI- QUEMENT LA MORT DES AUTRES. ET PUIS JE N'AI AUCUNE RAISON DE SONGER À UN TEL SUICIDE. J'AI GARDÉ MON HONNEUR INTACT...

JE NE PEUX PAS EN DIRE AUTANT !

KAÏ !? EST-CE BIEN TOI... OU TON FANTÔME ?

CE N'EST QUE MOI, SEIGNEUR, HÉLAS...

LA MORT N'A PAS VOULU ME PRENDRE SUR LE CHAMP DE BATAILLE. LA CHIENNE M'A MÉPRISÉ ET JE NE PEUX SURVIVRE À CETTE HUMILIATION...

JE SUIS LE SEUL RESPONSABLE DU MASSACRE DE VOS HOMMES. JE ME SUIS ÉCARTÉ DE LA VOIE DE LA RAISON. J'AI ENTRAÎNÉ DANS MA FOLIE...

SILENCE, VERMINE ! TÊTE DE SERPENT ! MERDE DE BLAIREAU ! COMMENT OSES-TU ENCORE OUVRIR LA BOUCHE ?

JE VOUS DEMANDE TRÈS HUMBLEMENT MAIS TRÈS OFFICIELLEMENT LA PERMISSION DE ME...

ASSEZ !

SEIGNEUR !... JE VOUS EN PRIE...

NON, CRAPAUD, PAS QUESTION ! LE SUICIDE RITUEL EST UN ACTE SACRÉ ! LE PRIVILÈGE DES SAMURAÏS D'ÉLITE !...

ET TOI, TU N'ES PLUS SAMURAÏ ! TU N'AS PLUS NI HONNEUR , NI FAMILLE , NI AMI ...

JE DEVRAIS TE FAIRE **CRUCIFIER** SUR L'HEURE COMME UN VULGAIRE VOLEUR MAIS CE SERAIT SANS DOUTE ENCORE TROP CHARITABLE ! ...

LES SAMURAÏS MARCHENT DEBOUT . ET LES HOMMES ÉGALEMENT ! TOI, TU N'ES PLUS NI L'UN NI L'AUTRE !!

TU RAMPERAS DONC VERS TA MORT EN Y METTANT LE TEMPS QU'IL FAUT !

TU VIVRAS DANS LA HONTE COMME SOLDAT DE DEUXIÈME CLASSE !

KŌZŌ , ÔTE-LUI SES ARMES !

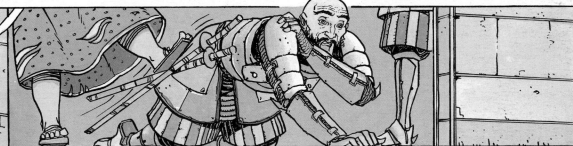

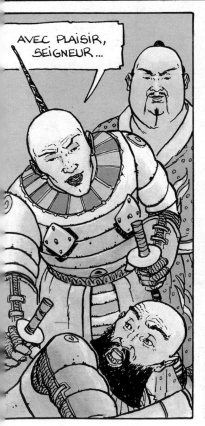

AVEC PLAISIR, SEIGNEUR ...

VOUS POUVEZ ME FAIRE CONFIANCE. JE SAURAI TOUT PARTICULIÈREMENT M'OCCUPER DE CETTE GROSSIÈRE LIMACE ...

JE SAIS, KŌZŌ, JE SAIS ...

REJOINS-MOI DANS MA CHAMBRE PENDANT LES FUNÉRAILLES DE CET AUTRE BENÊT : TOUTES CES ÉMOTIONS FORTES M'ONT DONNÉ FAIM AU VENTRE ET JE SUIS IMPATIENT DE JUGER, SUR LE TAS, DES PROUESSES D'OREILLER DU NOUVEAU GÉNÉRAL EN CHEF DE MON ARMÉE ...

43

DANS L'ESPRIT DU SHINTO, LA MORT N'EST PAS REDOUTABLE POUR LE SAMURAÏ COURAGEUX MAIS ELLE EST UNE SOUILLURE POUR CEUX QUI RESTENT...

BAFU NOUS A QUITTÉS POUR YOMI-NO-KUMI: LE PAYS DE LA MORT. SON CORPS RÉDUIT EN CENDRES SERA DISPERSÉ AUX VENTS DES DIEUX POUR SE RÉINCARNER DANS LA NATURE FÉCONDE ET RENAÎTRE DANS DES VIES MEILLEURES...

Ô FEU, REÇOIS CES LINGES ET CES PAUVRES TRÉSORS AUXQUELS BAFU ÉTAIT SI ATTACHÉ DE SON VIVANT...

ACCEPTE AUSSI CES QUELQUES PIÈCES POUR PAYER SON PASSAGE SUR LA RIVIÈRE SANZU QUI SÉPARE NOTRE TERRE DU ROYAUME D'AMIDA...

PRENDS CES SANDALES DE PAILLE ET CE BÂTON NOUEUX, NÉCESSAIRES À SON LONG VOYAGE DANS L'AU-DELÀ...

SUPERSTITIONS GROTESQUES !

LE SEUL BÂTON NOUEUX DONT JE VEUILLE ME SERVIR EST CELUI QUI SE TIENT DRESSÉ ENTRE MES CUISSES...

TU PARLES D'OR, KŌZŌ. VA CHERCHER PIMIKO. J'AI BESOIN DE SES LÈVRES POUR RANIMER MON FEU...

JE SUIS ICI SEIGNEU...

④

SI TU LE PERMETS, SIRE, JE SUIS VENUE TE DIRE QUE JE DÉSIRE QUITTER TA MAISON CETTE NUIT MÊME POUR RETROUVER TCHEN QIN. MON CŒUR M'A CHUCHOTÉ QU'IL EST ENCORE VIVANT...

À QUOI BON CES INSULTES, SEIGNEUR ? LA GROSSIÈRETÉ N'APPARTIENT QU'AUX FAIBLES ET AUX FOUS !

TU AS RAISON, MA JOLIE CHATTE ! : NON, IL NE CONVIENT PAS À UN DAIMYÔ DE MON RANG DE PRONONCER DE TELLES PAROLES DE VIOLENCE MAIS L'INDIGNATION AGITE MON SANG...

QUE JE N'ENTENDE PAS TA BOUCHE SUCRÉE EXPRIMER UNE SECONDE FOIS CE DÉSIR IMPOSSIBLE ! TU RESTERAS ICI PRÈS DE MOI POUR SATISFAIRE TOUS MES CAPRICES : JE SUIS LE MAÎTRE DE TON DESTIN !...

LE DESTIN NE CONNAÎT PAS DE MAÎTRE SEIGNEUR, CE DÉSIR IMPOSSIBLE N'EST PAS UNE EXPRESSION DE MA VOLONTÉ PROPRE...

QUOI !?! MAUDITE GARCE ! JE TE FERAI FOUETTER JUSQU'AUX OS POUR OSER PROFÉRER DEVANT MOI DE PAREILLES INSOLENCES !!

JE SUIS UNE FEMME, SEIGNEUR, ET LES SENTIMENTS PERSONNELS DE LA FEMME NE VONT JAMAIS AU-DELÀ DE LA SOUMISSION...

...À CE QUI DOIT S'ACCOMPLIR PARCE QUE CELA A ÉTÉ ÉCRIT DE TOUT TEMPS DANS LE GRAND LIVRE DU KARMA...

JE N'AI PAS L'OPPORTUNITÉ DE ME SOUSTRAIRE À CET APPEL. MON DÉPART A ÉTÉ FIXÉ ET MON SORT EST INÉLUCTABLE. PUISSE MON SEIGNEUR NE PAS TENTER DE S'OPPOSER AUX VENTS DES DIEUX !...

TU AS GAGNÉ, TIGRESSE ! MAIS JE SOUHAITE QUE TA ROUTE TE CONDUISE EN ENFER !!

MERCI, PUISSANT DAIMYÔ. JE SAVAIS QUE JE POUVAIS COMPTER SUR TA LARGESSE...

PIMIKO ?

OUI TOSHI ?

JE DEVINE TON PROJET ET MES VŒUX T'ACCOMPAGNENT...

UN LONG SABRE EST UN HANDICAP POUR UN HOMME VIEUX ET FATIGUÉ. DÉBARRASSE-MOI DE CELUI-CI... TON PÈRE ÉTAIT UN SAMURAÏ. TU AS HÉRITÉ DE SES DROITS...

MERCI TOSHI. SAYONARA...

45

HÉ !? QUI VA LÀ ?
QUI PLEURE ??

OH ! C'EST TOI, KAÏ !?!
QU'EST-CE QUE C'EST
QUE CE CHIFFON ??

LA BANNIÈRE DE
TCHEN QIN. LE BORGNE
A ORDONNÉ DE LA
RENDRE AU DAIMYÔ
COMME PREUVE DE
SA VICTOIRE MAIS JE
N'AI PAS EU LE LOISIR
...

LE BORGNE T'A
ORDONNÉ !?!?
PAR TOUTES LES SAINTES
RELIQUES DU BUDDHA
GAUTAMA ! IL NE MANQUE
PAS D'AUDACE !!
POURQUOI T'A-T-IL
LAISSÉ FILER ?

IL A DIT QU'IL
FALLAIT PARFOIS QUE
CERTAINS VIVENT
POUR PORTER TÉMOI-
GNAGE...

ET QUE VAS-
TU FAIRE,
À PRÉSENT ?

OBÉIR SANS
RELÂCHE À SIRE
OSHIKAGA ET À SON
CHIEN ! ...

SI LE BUSHI KÔZÔ
ME DIT : MANGE DE LA
MERDE, JE MANGERAI DE
LA MERDE !

S'IL ME DIT DE VOLER,
JE M'INVENTERAI DES
AILES ! ...

JE FERAI TAIRE
TOUS MES SENTIMENTS
ÉGOÏSTES POUR
PLAIRE À MES
SEIGNEURS ! ...

PAUVRE KAÏ !!
PAUVRE PETIT
GÉANT FOUDROYÉ
TU ES TOMBÉ
BIEN BAS !!

ET TOI, OÙ
T'EN VAS-
TU ?

LAVER
LE SANG
DE
LA LUNE
! ...

RETROUVER
L'HOMME QUE
J'AIME, LUI RENDRE
SON DRAPEAU...

FIN DE L'ÉPISODE COTHIAS
ADAMOV

COTHIAS · ADAMOV

LE VENT DES DIEUX

Le ventre du dragon

— TOME 2 —

Glénat

L'ÎLE SADO. L'HEURE DU LIÈVRE...(*)

TOUTES CES IMAGES TORRIDES SOUS MON CRÂNE ÉCLATÉ...

JE ME SOUVIENS SI BIEN DE TES MAINS SUR MA PEAU ET DU FEU DE TES REINS DANS LES EAUX DE MES CUISSES...

NOUS ÉTIONS FEU ET EAUX !...

TCHEN-QIN, TU ÉTAIS BEAU !... ET LE PLUS FORT DE TOUS ! COMMENT AURAIS-TU PU MOURIR SI STUPIDEMENT EN T'EN ALLANT COMBATTRE CES GROSSIERS CULS-TERREUX !?... ...CETTE BANDE DE SINGES INCULTES QUI AVAIENT REFUSÉ DE PAYER LEUR TRIBUT AU SIRE OSHIKAGA !!...

POURQUOI ES-TU PARTI À LA TÊTE DE TES HOMMES ? POURQUOI AS-TU TOUJOURS JOUÉ AU FANFARON ?

POURQUOI N'AS-TU JAMAIS OSÉ DÉSOBÉIR ?...

①

(*)ENTRE 5 ET 7H DU MATIN

TOSHI EST REVENU...

... ET KAÏ...

...ET SIRE KOZO...

... ET MÊME LE GROS BAFU DONT L'HARMONIE ÉTAIT À CE POINT PERTURBÉE QU'IL S'EST OUVERT LE VENTRE POUR RACHETER SON HONNEUR !..

..L'HONNEUR DU SAMURAÏ !!

POURQUOI ES-TU RESTÉ LÂ-BAS, DANS CES MONTAGNES ?

TCHEN ! ATTENDS-MOI ! J'ARRIVE ! JE SAURAI TE TROUVER POUR TE RENDRE TA BANNIÈRE ROUGIE DU SANG DE LA LUNE (*) !!

JE SAURAI TE SOIGNER OU TE RESSUSCITER, DUSSÉ-JE EN ARRACHER LE SECRET À LA TERRE !!...

DEMI-TOUR, JOLIE POUPÉE D'AMOUR, ON NE PASSE PAS PAR CE CHEMIN, NI PAR AUCUN AUTRE QUI S'ÉLOIGNE DU MANOIR DE SIRE OSHIKAGA !

C'EST DONC LUI QUI T'ENVOIE ?

* VOIR LE PREMIER ÉPISODE

②

J'AURAIS DÛ ME DOUTER QUE CETTE OUTRE PLEINE DE MERDE NE TIENDRAIT PAS PAROLE...

MON SIRE N'A FAIT AUCUNE PROMESSE...

IL M'A POURTANT LAISSÉ PARTIR!...

UN MOMENT D'ÉGAREMENT QU'IL REGRETTE AUJOURD'HUI...

IL TIENT BIEN PLUS À TOI QU'IL NE L'IMAGINAIT...

LE SIRE OSHIKAGA N'A AUCUN DROIT SUR MOI!. JE SUIS PIMIKO ZU. MON PÈRE ÉTAIT JI SAMURAÏ (*) AVANT DE S'EN ALLER RE_ JOINDRE LE BODHISATTVA DE MISÉRICORDE AMIDA BUTSU DANS SON PARADIS DE L'OUEST...

IL S'EST CHOISI UN MAÎTRE EN LA PERSON _NE DU SIRE QUI T'ORDONNE À PRÉSENT DE VENIR M'ENNUYER. IL A TOUT ATTENDU DE LUI : TERRES, HONNEURS ET JUSTICE!...

IL N'A JAMAIS REÇU POUR PRIX DE SES SERVICES QU'UN CARRÉ DE CAILLOUX GRAND COMME 3 TATAMIS ET UNE JAMBE COUPÉE, AVEC EN PRIME, LA HONTE DE VOIR SA FILLE UNIQUE DEVENIR UNE PUTAIN!...

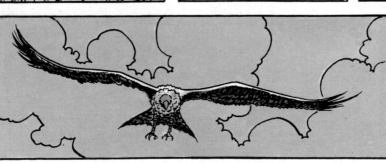

AUJOURD'HUI J'AI GRANDI. MES YEUX SE SONT OUVERTS. MES CUISSES SE SONT FERMÉES AUX ANCIENNES COMPLAISANCES ET J'AI REPRIS EN MAIN L'HÉRITAGE DE MON PÈRE :

SON TITRE DE SAMURAÏ ET SON DROIT DE LIBRE CHOIX!...

) SAMURAÏ CULTIVATEUR.

③

TOSHI !
JE N'ESPÉRAIS
PAS TE REVOIR
SI VITE !!

J'AI EU VENT
DU BRUTAL
REVIREMENT
DU SEIGNEUR
ET J'AVAIS
PEUR POUR
TOI...

JE VOIS
QUE J'AI
EU TORT
...

...ET QUE TU AS
BIEN SU
PROFITER
DE MES
LEÇONS.

COTHIAS / ADAMOV
5

ILS N'ATTENDENT PLUS QUE VOUS POUR SE METTRE EN ROUTE VERS LE VILLAGE DES INSURGÉS ET VENGER PAR LE SANG LE MASSACRE DE TCHEN.QIN ET DE SES COMPAGNONS...

NOUS NE SOMMES PAS PRESSÉS, KOZO. DIS.MOI PLUTÔT : TU AS EU DE LA CHANCE DE REVENIR ENTIER...

....BEAUCOUP DE CHANCE, VRAIMENT!..

LA CHANCE N'A RIEN À VOIR DANS CETTE AFFAIRE, VOTRE PRÉCIOSITÉ. JE SUIS SEULEMENT TRÈS PRÉVOYANT..

TRÈS PRÉVOYANT ET TRÈS HABILE, N'EST.CE PAS ?

OUI SEIGNEUR. TRÈS HABILE. C'EST UNE DES QUALITÉS QUI M'AIDENT À DEMEURER VIVANT QUAND TOUS LES AUTRES MEURENT...

...ET JE VEUX METTRE CETTE HABILETÉ À VOTRE ENTIÈRE DISPOSITION...

JE NE SUIS QU'UN HUMBLE INSTRUMENT DONT JOUE MON MAÎTRE VÉNÉRÉ. SI MON MAÎTRE EST CONTENT, JE LE SUIS ÉGALEMENT...

N'EN RAJOUTE PAS, KOZO! JE TE CONNAIS BIEN MIEUX QUE TU NE L'IMAGINES...

DEVOIR ET LOYAUTÉ NE VEULENT RIEN DIRE POUR TOI. TU ES FOURBE ET IMPITOYABLE! TU NE SONGES QU'À TES INTÉRÊTS!

OUI CERTES. ET C'EST POURQUOI JE T'AI FAIT GÉNÉRAL EN CHEF DE MON ARMÉE. J'AI BESOIN DE M'ENTOURER DE GENS DE TON ESPÈCE MAIS JE NE SUIS PAS DUPE DE TES CARESSES DE CHAT. PRENDS BIEN SOIN DE TOUJOURS GARDER TES GRIFFES RENTRÉES : POUR CE QUI ME CONCERNE !..

JE N'Y MANQUERAI PAS, SEIGNEUR. USEZ DE MOI AVEC PRUDENCE ....ET TOUJOURS À VÔTRE AVANTAGE ...

NOS INTÉRÊTS, SEIGNEUR, NE SONT-ILS PAS COMMUNS ?

CE JARDIN EST UN PUR DÉLICE ! IL M'ENCHANTE PAR SA VARIÉTÉ.: IL Y A TOUJOURS QUELQUE RECOIN, QUELQUE DÉTAIL À DÉCOUVRIR, QUELQUE POINT DE VUE IGNORÉ...

J'AI TOUJOURS EU BEAUCOUP DE RESPECT POUR LA NATURE DE MON PAYS... POUR SES MONTAGNES, SES PIERRES, SES ARBRES...

...ET JE N'AI PAS OSÉ LA MODIFIER ICI...

...TOUT JUSTE ME SUIS-JE PERMIS DE LA RECRÉER EN MINIATURE; DE RECOMPOSER SES ÉLÉMENTS POUR RÉALISER DES ENSEMBLES QUI LA SUGGÈRENT, DE MANIÈRE À TOUJOURS AVOIR SOUS LES YEUX QUELQUES-UNES DE SES NOMBREUSES MANIFESTATIONS...

CE JARDIN D'AGRÉMENT EST À LA FOIS UN LIEU DE PROMENADE, UN TABLEAU À CONTEMPLER ET LE SUPPORT D'UNE MÉDITATION...

... IL N'EST PAS FAIT POUR DISTRAIRE LE REGARD MAIS BIEN PLUTÔT POUR LE CONTRAINDRE À MOINS DE DISTRACTIONS...

...POUR LE FORCER À SE DIRIGER VERS LE COEUR DES CHOSES...

... VERS LE COEUR DE L'HOMME...

8

EST-IL MORT ?

JE NE SAIS PAS...

KROOAAAK!?

POC !

LA MORT NE M'EFFRAIE PAS, ELLE EST DANS L'ORDRE DES CHOSES ET EN TOUT POINT CONFORME À LA LOI NATURELLE...

POUR UN GUERRIER, MOURIR EST UN MOYEN DE RENAÎTRE DANS UNE AUTRE VIE...

... UNE VIE MEILLEURE OU PIRE ...

9

RENAÎTRE À LA DOULEUR...

TOUT EST DOULEUR, TOUJOURS : LA NAISSANCE, LA VIEILLESSE, LA MALADIE...

...L'UNION AVEC CE QU'ON DÉTESTE ET LA SÉPARATION D'AVEC TOUS CE QU'ON AIME...

PERSONNE N'ÉCHAPPE À LA DOULEUR!!...

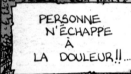

...PAS MÊME LES INNOMBRABLES DIEUX!!...

TU RÉPÈTES BIEN TES LEÇONS, TCHEN-QIN! TU AS TOUJOURS ÉTÉ UN ÉLÈVE TRÈS BRILLANT ET TRÈS DISCIPLINÉ!!...

HOLÀ! QUI BOUGE ICI? QUI PARLE??

SORS DE TON TROU!

NE ME FRAPPE PAS, TCHEN-QIN! NE SOIS PAS EN COLÈRE!... JE NE SUIS QUE TON OMBRE...

PAR LE VENTRE DU DRAGON! JE CROYAIS BIEN T'AVOIR LAISSÉ PRÈS DE LA CASCADE AVEC MON CHEVAL MORT!...

JE M'ENNUYAIS SANS TOI!... ET PUIS, ÇA PUAIT TROP ET TOUS CES NOIRS CORBEAUX ME FAISAIENT FROID DANS LE DOS...

10

NE ME CHASSE PAS, TCHEN-QIN. JE T'AI TOUJOURS ACCOMPAGNÉ DANS CHACUN DE TES MOUVEMENTS. JE T'AI PRÉCÉDÉ OU SUIVI ET NOUS AVONS GRANDI ENSEMBLE...

TCHEN, NE M'ABANDONNE PAS!... JE CONNAIS TOUT DE TOI!... TOUS TES ACTES RÉFLEXES!... TOUS TES PETITS TRAVERS!... TOUS TES SECRETS ENFUIS DANS LE FOND DE TA TÊTE...

C'EST DE L'HISTOIRE ANCIENNE! LAISSE-MOI TRANQUILLE! VA-T'EN!!...

...JE SAURAI TE GUIDER POUR T'AIDER À SORTIR DE CE RÊVE DANGEREUX OÙ TU T'ES FOURVOYÉ!...

SORNETTES! TU NE POURRAIS PLUS QUE ME FAIRE DU TORT!!

?!

EH LÀ! DOUCEMENT! DU CALME!! RÉSERVE TON ARDEUR À DE MEILLEURES CAUSES!!...

TANT PIS POUR MOI! JE N'AI PLUS RIEN À PERDRE!!

TU N'ES QU'UN RIDICULE REFLET! LA PROJECTION GROSSIÈRE DE LA MOITIÉ DE MON ÂME OBSCURCIE PAR L'ERREUR!...

TU VAS FINIR PAR TE BLESSER!!

AAAH!

ET QUI TE DIT QUE CE N'EST PAS EXACTEMENT LE CONTRAIRE? SI C'ÉTAIT TOI L'IMAGE? MON DOUBLE DÉFORMÉ??...

⑪

INGRAT! TU M'AS TUÉ...

HEIN!? MAIS C'EST IMPOSSIBLE!!

PLUS RIEN N'EST IMPOSSIBLE DANS CES RÉGIONS MAGIQUES...

JE T'AVAIS PRÉVENU : JE SUIS UN SAMURAÏ ET PERSONNE -PAS MÊME TOI- NE POURRA M'EMPÊCHER D'ACCOMPLIR MON DESTIN!!

ALORS, ADIEU, FAUX FRÈRE J'ESPÈRE QUE TU N'AURAS PAS À ME REGRETTER...

ET TOI, REPOSE EN PAIX. JE N'AURAIS JAMAIS CRU QUE TU SOIS SI FRAGILE!...

LAISSE-MOI T'AIDER, MAMAN! TU N'AS PAS ASSEZ DE FORCES...

L'HOMME N'A MÊME PAS CRIÉ! RIEN! PAS UN TRESSAILLEMENT. DE QUEL MÉTAL EST-IL DONC FAIT!?!?...

DE FER, GARÇON, DE FER! COMME TOUS CEUX DE SA RACE!..

LES SAMURAÏS SONT RUDES ET DURS À LA SOUFFRANCE...

NE SONT-ILS PAS AUSSI DES HOMMES DE CHAIR ET D'OS, COMME CHACUN D'ENTRE NOUS, PAR-DESSOUS LES CUIRASSES QUI LEUR PROTÈGENT LE COEUR?

SCHIT

PEUT-ÊTRE, QUELQUES-UNS...

CELUI-CI S'EST ENFONCÉ TRÈS LOIN DANS SON RÊVE. IL NE RESSENT PLUS RIEN DE SA RÉALITÉ...

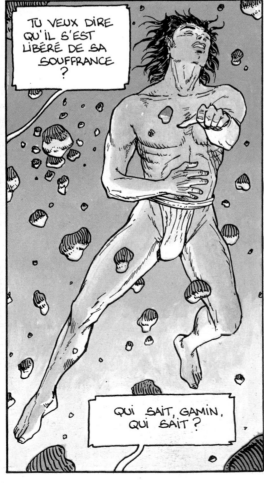

TU VEUX DIRE QU'IL S'EST LIBÉRÉ DE SA SOUFFRANCE?

QUI SAIT, GAMIN, QUI SAIT?

...LA SOUFFRANCE A POUR ORIGINE LA SOIF DE VIVRE, LE DÉSIR QUI S'ATTACHE AUX PLAISIRS DISPARUS ET ACCOMPAGNE TOUTE EXISTENCE, JUSQU'À L'ABOUTISSEMENT ULTIME, PAR-DELÀ LE SEUIL DE LA MORT...

...ELLE CONDUIT À RENAÎTRE POUR GOÛTER À NOUVEAU SES VOLUPTÉS TROMPEUSES...

...LA FIN DE LA DOULEUR, C'EST LA FIN DE LA SOIF. SON COMPLET ÉPUISEMENT...

...ELLE EST ATTEINTE DANS CE MONDE PAR QUELQUES INITIÉS, AU DEGRÉ LE PLUS ÉLEVÉ...

...ET À PLUS FORTE RAISON, PAR LE BUDDHA LUI-MÊME, QUI CONTINUE DE VIVRE INEXORABLEMENT DANS UN ÉTAT DE FÉLICITÉ IMPERTURBABLE...

PARDON, GRAND-PÈRE, OÙ SUIS-JE ?

OÙ TU VOUDRAS, PETIT...

REGARDE AUTOUR DE TOI : LES ARBRES QUI POUSSENT ICI ACCOMPLISSENT LES SOUHAITS LES PLUS INFORMULÉS...

QUI SONT CES GENS ?

DES IMMORTELS

SUIS-JE DONC MORT RÉELLEMENT, POUR AVOIR MÉRITÉ DE RENAÎTRE PARMI EUX ?

C'EST À TOI SEUL D'EN DÉCIDER...

VEUX-TU DIRE QU'IL N'Y A PERSONNE DANS CET ENDROIT POUR COMMANDER !? AUCUN SEIGNEUR NI AUCUN DIEU !?!?

NOUS SOMMES TOUS DES SEIGNEURS L'ÉTERNEL VIT EN NOUS...

ALORS, JE FAIS APPEL À VOTRE CHARITÉ. MON CORPS EST ÉPUISÉ PAR TOUT CE SANG PERDU ET MON ÂME EST MALADE

TON ÂME ?...

TU AS DE LA CHANCE : JE SUIS UN SPÉCIALISTE ! MONTRE-LA-MOI, JE L'APAISERAI...

HÉLAS ! C'EST MON PROBLÈME : JE N'AI JAMAIS ÉTÉ CAPABLE DE LA TROUVER...

TON DÉSIR EST DONC EXAUCÉ, POUR CE QUI LA CONCERNE !

JE NE COMPRENDS PAS...

CROIS-TU À LA LOI DU KARMA ? À LA RÉTRIBUTION DES ACTES ?

BIEN SÛR ! LES MOINES M'ONT EXPLIQUÉ : CHAQUE GESTE DE LA VIE EST COMME UNE PETITE GRAINE QU'ON ENFONCE DANS LE SOL. LA GRAINE POUSSE, DEVIENT ARBRE. L'ARBRE PROTÈGE SES FRUITS...

OÙ SONT TES FRUITS, TCHEN-QIN ? SONT-ILS BONS OU MAUVAIS ?

ILS NE PEUVENT QU'ÊTRE BONS : JE SUIS UN SAMURAÏ ! MAIS J'AVOUE N'Y AVOIR ENCORE JAMAIS GOÛTÉ. J'IGNORE OÙ EST MON ARBRE.

15

ALORS, TU DOIS CHERCHER! J'EN SUIS NAVRÉ, PETIT : TA PLACE N'EST PAS ICI, PARMI LES BIENHEUREUX...

??

PAR LE BUDDHA COMPATISSANT!

JE N'AURAIS JAMAIS CRU QU'UN TEL MONSTRE EXISTE VRAIMENT!!

PRENDS GARDE, PETIT BON-HOMME! LES PUISSANCES DE L'ABÎME NE SE LAISSENT PAS DÉFIER À LA LÉGÈRE...

JE N'AI DÉFIÉ PERSONNE...

ALORS POURQUOI ES-TU ARMÉ?

JE SUIS UN SAMURAÏ!!

UN SAMURAÏ!! COMME TU DIS ÇA!!! TON TITRE TE GONFLE LA BOUCHE COMME UNE PÂTE DE GINGEMBRE!!!

PAUVRE BENÊT! PAUVRE NAÏF!! TU N'AS PAS DE QUOI ÊTRE FIER!!!...

UN SAMURAÏ N'EST QU'UN VALET! UNE MARIONNETTE VOUÉE AUX CAPRICES DE SON MAÎTRE!

UN CHIEN DRESSÉ POUR ATTAQUER L'ENNEMI QU'ON LUI DÉSIGNE SANS SE POSER JAMAIS AUCUNE QUESTION...

17

LA NUIT TOMBE, PIMIKO. NOUS SOMMES À L'HEURE DU CHIEN(*). ARRÊTONS-NOUS ICI POUR REPOSER NOS BÊTES ET TROUVER UN ABRI...

NON TOSHI, JE REGRETTE...

TCHEN-QIN M'ATTEND PLUS LOIN, AU COEUR DE CES MONTAGNES...

TCHEN-QIN N'ATTEND PERSONNE. IL A PRIS SON CHEMIN SUR LA VOIE PÉRILLEUSE QUI CONDUIT DE SA MORT À SA PROCHAINE NAISSANCE ET TU N'Y PEUX RIEN...

SI TU DIS VRAI, TOSHI, IL NE ME RESTERA PLUS QU'À MOURIR AUSSI POUR RETROUVER SES TRACES DANS LE VENTRE DU DRAGON QUI DIGÈRE TOUTES LES VIES...

NOTRE MOINE NICHIREN M'A UN JOUR EXPLIQUÉ QUE TOUTES LES CHOSES DU MONDE SONT EN MOUVEMENTS CONSTANTS, ELLES S'ÉLÈVENT ET RETOMBENT...

LES PLANTES NE FONT DES FLEURS QUE POUR RETROUVER LEURS RACINES...

SI TCHEN EST VRAIMENT MORT, COMME TU LE PRÉTENDS, JE SAURAI LE REJOINDRE, SI LOIN QU'IL SOIT ALLÉ. JE LE RECONNAÎTRAI SOUS MON NOUVEL ASPECT ET JE PRIERAI LES DIEUX QU'ILS VEUILLENT BIEN ME LAISSER RENAÎTRE À SES CÔTÉS!...

TAIS-TOI DONC, PIMIKO! TU ES ENCORE TROP JEUNE POUR PARLER SI SAGEMENT! LA JEUNESSE NE SAIT RIEN ET C'EST CE QUI EN FAIT SON PRIX INESTIMABLE...

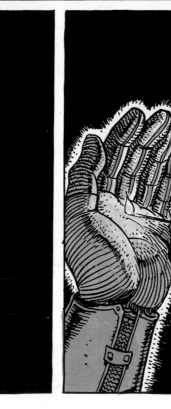

19

QUI VA LÀ ?

.ENCORE TOI !? JE PENSAIS T'AVOIR DÉCAPITÉ !!

J'AI LA PEAU DURE ! ON NE SE DÉBARRAS_SE PAS DE MOI SI FACILEMENT !..

COMMENT M'AS_TU SUIVI ?

HÉ HÉ !

J'AI MES PETITES ENTRÉES DANS TOUS TES LABYRINTHES.

ALLONS, VIEUX FRÈRE, RÉSIGNE_TOI : TU NE POURRAS PAS TE PASSER DE MOI ! TOUTE CHOSE VA AVEC SON CONTRAIRE ! LE LAIT A SA NOIRCEUR SECRÈ_TE QUI CONTRIBUE À LUI DONNER SON GOÛT SUBTIL.

ASSEZ ! JE NE VEUX PLUS T'ENTENDRE !! JE N'AI BESOIN QUE DE MA LUMIÈRE !!

TA LUMIÈRE NE VAUT RIEN : ELLE MANQUE TROP DE CHALEUR...

QU'AS_TU À OFFRIR AU MONDE DES MORTS, BEAU TÉNÉBREUX ? OÙ_EST TON TRÉSOR ?

COMBIEN DE VIES AS_TU BRISÉES POUR SATISFAIRE TON MAÎTRE ? COMBIEN DE TÊTES AS_TU TRANCHÉES HORMIS LA MIENNE ?

COMBIEN DE FEMMES AS_TU BERNÉES AVEC TA JOLIE GUEULE D'AMOUR ?

26

ASSEZ! ÉCARTEZ-VOUS POUR ME CÉDER LA PLACE! AUCUN DE VOUS N'EST DE TAILLE À LUTTER CONTRE MOI...

JE SUIS UN SAMURAÏ D'ÉLITE! PAS UN BOUCHER!!

CLING!

PAR LE BUDDHA COMPATISSANT! JE TE CONNAIS: TU ES BAFU!... TU ES MON VIEUX COMPAGNON D'ARMES!! -(*)

JE T'AVAIS DONNÉ L'ORDRE DE DEMEURER VIVANT! COMMENT ES-TU ARRIVÉ LÀ? ET POURQUOI COMBATS-TU CONTRE MOI AUX CÔTÉS DE TOUS CES TRÉPASSÉS!?!? TU ÉTAIS MON AMI...

(*) VOIR: LE SANG DE LA LUNE.

22

IL N'Y A PLUS D'AMIS DE CE CÔTÉ DU MONDE. TOUS SES MORTS SE RESSEMBLENT, TCHEN-QIN... J'EN SUIS NAVRÉ...

JE ME SUIS SUICIDÉ POUR LAVER MON HONNEUR MAIS C'ÉTAIT UNE SOTTISE : LA MORT EST SANS HONNEUR... CELLE QU'ON REÇOIT EST UN ENFER ET CELLE QU'ON DONNE N'A PAS D'EXCUSE !...

NON ! NON ! N'APPROCHEZ PLUS ! JE VOUS RECON-NAIS TOUS !!! ...

JE NE VEUX PLUS ME BATTRE CONTRE MES FANTÔMES...

JE VEUX SORTIR D'ICI !...

CRAC

CRAC

23

CETTE MASCARADE N'A DONC PAS DE FIN !...

24

NOUS ALLONS NOUS ROMPRE LES OS, TOSHI. J'AURAIS DÛ T'ÉCOUTER...

CETTE NUIT EST BIEN TROP NOIRE, PEUPLÉE D'ESPRITS MAUVAIS...

"MAUVAIS", FILLETTE? QUI SAIT?...

...NOUS SOMMES SI IGNORANTS DES MYSTÈRES DE L'AU-DELÀ!...TOUTES LES FIGURES HORRIBLES QUI HANTENT LES ZONES OBSCURES DU MONDE IMAGI_ NAIRE NE SONT PEUT_ÊTRE QUE DES CRÉATURES SANS SECOURS QUI ATTENDENT QU'ON LES AIDE...

...TOUS LES DRAGONS DE NOS VIES NE SONT PEUT_ÊTRE QUE DES ANIMAUX FAMILIERS QUI ATTENDENT QU'ON LES AIME...

TCHEN-QIN EST TOMBÉ LÀ, JUSTE AU MILIEU DU PONT...

JE L'AI VU CULBUTER JUSQU'AU FOND DU TORRENT. LES FLOTS L'ONT AVALÉ...

CES MAUDITS KOÔTBUNINS(*) PAIERONT CHER POUR LEURS CRIMES!

LES KOÔTBUNINS NE COUPENT PAS LES TÊTES, TOSHI: ILS N'ONT PAS CETTE DÉLICATESSE...

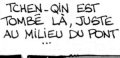

ENS QUELCONQUES. PAYSANS.

VOS AGRESSEURS ÉTAIENT SÛREMENT D'UNE AUTRE TREMPE.

IL FAUT TROUVER DU BOIS POUR DRESSER UN BÛCHER LES SAMURAÏS MÉRITENT UNE AUTRE SÉPULTURE QUE LE VENTRE DES OISEAUX ...

TCHEN EST UN SAMURAÏ. UN GUERRIER RÉSIGNÉ DEVANT LES COUPS DU SORT ET PRÊT À AFFRONTER N'IMPORTE QUEL MYSTÈRE ...

TCHEN CONNAÎT PAR LEURS NOMS LES DÉMONS DE SON TEMPS ...

DES MONSTRES IMPITOYABLES CUIRASSÉS D'ÉGOÏSME. MUNIS DES AILES VIBRANTES DU MENSONGE ET DE LA RUSE ...

...ET PUISSAMMENT ARMÉS DES GRIFFES DE LA COLÈRE ET DES CROCS DU DÉSIR ...

ALLEZ-VOUS-EN, MAUDITS! VOUS N'ÊTES QUE DES CHIMÈRES! DES HALLUCINATIONS!!...

DES ADVERSAIRES INDIGNES DE MOI !!!

JE NE SUIS PLUS DUPE DE TOUS VOS SORTILÈGES! ...

DEPUIS LES PREMIERS JOURS DES EMPEREURS HOJO, MA FAMILLE A TOUJOURS COMBATTU FIDÈLEMENT SOUS LES ORDRES DES GÉNÉRATIONS D'OSHI-KAGA ET JE SUIS LE DERNIER HÉRITIER DE LA RACE ...

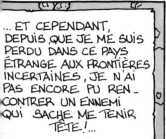

... ET CEPENDANT, DEPUIS QUE JE ME SUIS PERDU DANS CE PAYS ÉTRANGE AUX FRONTIÈRES INCERTAINES, JE N'AI PAS ENCORE PU REN_CONTRER UN ENNEMI QUI SACHE ME TENIR TÊTE !...

ET LE DRAGON, TCHEN QIN ?

LE DRAGON NE COMPTE PAS : IL N'EST QU'UNE BÊTE STUPIDE ! JE NE VEUX PLUS ME BATTRE AVEC DES ANIMAUX !!

S'IL Y A QUELQUE PART DANS CE ROYAUME MAGIQUE UN QUELCON_ _QUE SAMURAÏ EN ÉTAT DE ME DÉFIER, QU'IL DAIGNE SE MONTRER POUR PRENDRE LA MESURE DE MON RÉEL COURAGE !...

... SINON, QU'ON ME LAISSE POURSUIVRE EN PAIX MON VOYAGE ...

JE TROUVERAI MON ARBRE ! JE GOÛTERAI SES FRUITS !! ...

LES HOMMES NAISSENT DE LA CENDRE ET RETOURNENT À LA CENDRE ...

QUE LE VENT DES DIEUX LES EMPORTE, EUX ET LEURS JOLIS RÊVES DE GLOIRE ...

IL NE SERA PAS AISÉ DE RETROU_VER DES TRACES DES ASSASSINS. LE SOL EST TROP DUR, PAR ICI ...

NOUS Y VERRONS PLUS CLAIR AU JOUR. LES ÉTOILES COMMENCENT À PÂLIR POUR NOUS ANNONCER L'HEURE DU TIGRE (*)

... POURQUOI NE PAS DORMIR UN PEU EN ATTENDANT DE NOUVELLES FORCES ?

NON TOSHI : TCHEN QIN S'IMPATIENTE ...

LE VENTRE DU DRAGON EST BEAUCOUP PLUS ÉTRANGE QUE JE L'IMAGINAIS... ET CENT MILLE FOIS PLUS GRAND !..

ET LE SOLEIL SE LÈVE! SANS EAU, NOUS NE POURRONS JAMAIS SORTIR DE CE DÉSERT DE SABLE ET DE ROCHERS !...

ESSAYONS DE DESCENDRE POUR SUIVRE LE COURS DE L'EAU. TCHEN QIN A PU NAGER ET ABORDER PLUS LOIN UN RIVAGE PLUS SEREIN ...

TU TE BERCES D'ILLUSIONS. TON HOMME A DISPARU ET NE REVIENDRA PAS ...

...J'AI VU SON CORPS PERCÉ PAR LES FERS DES COUTEAUX ET DES FLÈCHES DES BRIGANDS. IL ÉTAIT MORT, QUAND L'EAU A BU SON SANG !...

TCHEN EST TROP ASSOIFFÉ DES PLAISIRS DE LA VIE POUR SE LAISSER DÉTRUIRE PAR UN GROSSIER TORRENT ET JE PRÉFÈRE PENSER QUE SON SANG A BU L'EAU ...

28

(*) 3-5 H DU MAT

QUAND ON A LE SENS DE L'ORIENTATION QUI DÉBLOQUE, ON NE PREND PAS UN RAC-COURCI À TRAVERS LE DÉSERT!?

OU ALORS, C'EST QU'ON TIENT VRAIMENT À SE SUICIDER!

ARRÊTE DE RADOTER...

TU N'AS DONC PAS COMPRIS QUE NOS DESTINS ÉTAIENT INDISSOLUBLEMENT LIÉS!? SI TU CRÈVES, MOI AUSSI...

C'EST UNE CONSOLATION!...

TU N'AS AUCUNE PITIÉ! TU N'ES QU'UNE BRUTE ÉPAISSE! UN TRAÎNEUR DE SABRE SANS JUGEOTE!!...

REGARDE-TOI, FIER SAMOURAÏ, LE CŒUR AU SEC SOUS TA CUIRASSE! LA CERVELLE COMPRIMÉE PAR TOUS CES PRÉJUGÉS SUR LE CULTE DU DEVOIR ET DE L'HONNEUR DE MERDE!!...

...TU AS SU FERMER LES OREILLES ET LES YEUX PENDANT TOUTES CES ANNÉES POUR REFUSER DE T'ENTENDRE ET DE VOIR LA VÉRITÉ!!...

ABRÈGE UN PEU, VEUX-TU? J'AI LA GORGE COMME DU FEU!...

NOUS AVONS MIEUX À FAIRE QUE NOUS CHAMAILLER. JE NE VEUX PLUS JOUER CE JEU-LÀ AVEC TOI!...

LA MORT N'EST PAS UN JEU, TCHEN, ET JE VEUX VIVRE!

JE VEUX VIVRE! VIVRE!! VIIIIVRE!

29

LA PAIX SOIT AVEC VOUS ET AVEC VOTRE FEU. NOUS SOMMES À LA RECHERCHE D'UN COMPAGNON BLESSÉ. PEUT-ÊTRE L'AVEZ-VOUS VU ?...

PAR L'ANNEAU DU BUDDHA ! JE RECONNAIS CES ARMES ET CES PIÈCES DE CUIRASSES !!

CES GENS-LÀ FONT PARTIE DE LA BANDE D'ASSASSINS...

NON SEIGNEUR ! ÉCOUTEZ... JE SUIS UNE MISÉRABLE MAIS JE JURE, PAR LES DIEUX, N'AVOIR JAMAIS TUÉ !!

PITIÉ, AU NOM DU CIEL ! JE SUIS UNE RÉPROUVÉE ET IL M'EST INTERDIT DE VIVRE PARMI LES HOMMES...

JE DOIS ME DÉBROUILLER POUR FAIRE MANGER MON FILS EN EMPRUNTANT AUX MORTS...

LES CADAVRES ÉTAIENT FROIDS QUAND JE LES AI TROUVÉS EN AMONT DU TORRENT ET JE N'AI PU VOLER QUE CES QUELQUES MORCEAUX DE FERRAILLES ÉCLATÉES...

LES GENS DU BORGNE AVAIENT DÉJÀ QUITTÉ LES LIEUX EN EMPORTANT CHEVAUX ET TÊTES !...

LES "GENS DU BORGNE"!? TU T'ES TRAHIE! TU LES CONNAIS, TU ES DES LEURS !!

NON, NON, SEIGNEUR ! MA MÈRE FAIT PARFOIS LA PUTAIN, MAIS ELLE N'A JAMAIS PU COUCHER AVEC CEUX-LÀ ! ILS LUI FONT BIEN TROP PEUR !!

CONNAIS-TU LEUR REPAIRE ?

OUI SEIGNEUR : ILS SE CACHENT QUELQUEFOIS DANS UNE GROTTE, À MOINS D'UNE HEURE D'ICI !! JE PEUX VOUS FAIRE UN PLAN...

31

DESSINE, VERMINE, DESSINE ! ET APRÈS VOUS MOURREZ, TOI ET TA CHIENNE DE MÈRE...

NON TOSHI, RANGE TON SABRE. TU SALIRAIS SA LAME...

CETTE FEMELLE A DIT VRAI : ELLE N'EST PAS UNE PERSONNE ! C'EST UNE ETA !... UNE INTOUCHABLE !!

IL FAUT QU'ELLE AIT COMMIS UN CRIME IMPARDONNABLE POUR ÊTRE AINSI MARQUÉE AU FER ROUGE PAR LES SIENS !...

ALLONS-NOUS-EN D'ICI AVANT D'ÊTRE IMPRÉGNÉS PAR TOUTE CETTE PUANTEUR !!

PEUT-ÊTRE AURIONS-NOUS DÛ VISITER CET ABRI !... PEUT-ÊTRE Y AURIONS-NOUS RETROUVÉ QUELQUES TRACES...

NON TOSHI. IMPOSSIBLE !

TCHEN-QIN, VIVANT OU MORT, NE PEUT S'ÊTRE COMPROMIS AVEC CES CRÉATURES

MAIS PIMIKO...

TAIS-TOI. IL FAUT CHERCHER PLUS LOIN...

BIEN JOUÉ, SAMURAÏ !

TU AS SU TRIOMPHER DE TES PREMIÈRES ÉPREUVES EN M'IN-VOQUANT À TEMPS POUR TE SAUVER LA MISE...

CES ÉMOTIONS M'ONT DONNÉ SOIF. ME PERMETS-TU DE PRENDRE DE L'EAU ?

BIEN SÛR !... SI TU ME DONNES UN BAISER SUR LA BOUCHE !

 TU ES RESTÉE TROP LONG-TEMPS SOUS LE SOLEIL ET LA PLUIE, GRAND-MÈRE: ÇA DOIT CLAPOTER SOUS TON CRÂNE!...

NE FAIS PAS LE DÉ-LICAT. MA BOUCHE EST AUSSI ROUGE QUE LE FRUIT DU SOR-BIER ET MES DENTS SONT DES PERLES...

BEAUCOUP DE VOYA-GEURS SONT PASSÉS AVANT TOI MAIS LA PLUPART ONT PRÉFÉRÉ MOURIR DE SOIF...

QUI DONC ES-TU, VIEILLE FOLLE?

JE SUIS LA GARDIENNE DE LA SOURCE INÉPUISA-BLE DANS LE VENTRE DU DRAGON... MON RÔLE EST DE VEILLER ET DE CHASSER TOUS CEUX QUI NE SONT PAS CAPABLES D'AFFRONTER LES ESPACES INTÉRIEURS PLUS SUBTILS POUR DÉ-COUVRIR LA VÉRITÉ CA-CHÉE DERRIÈRE LES APPARENCES...

JE NE SAIS TOUJOURS PAS TON NOM...

J'AI CENT MILLE NOMS, CENT MILLE VISAGES. LES HOMMES M'APPELLENT PARFOIS KWANNON, OU AMIDA MATSUBARU, LE BUDDHA DE MISÉRICORDE...

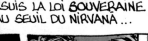 ...SUIS LA LOI SOUVERAINE AU SEUIL DU NIRVANA...

...RS, J'AI ...CCOUP ...X À ...FRIR UN ...ER...

C'EST ASSEZ PIMIKO!

TON SIRE OSHIKAGA NE VAUT PLUS RIEN, TOSHI!...

JE NE TE SUIVRAI PLUS DANS CETTE QUÊTE INSENSÉE! JE ME SUIS LAISSÉ EMPORTER PAR MES PASSIONS AUX DÉ-PENS DE MA RAISON! MA VRAIE PLACE EST AU-PRÈS DE SIRE OSHIKAGA...

C'EST UN TYRAN DÉBILE AMOLLI PAR LE LUXE ET LA PERVERSITÉ!!...

UN SAMURAÏ N'A PAS À SE PRÉOCCUPER DE SAVOIR SI LA CAUSE SOUTENUE PAR SON CHEF EST LA BONNE!!

UN SAMURAÏ N'A PAS À SE PRÉOCCUPER DU JUSTE ET DE L'INJUSTE! IL DOIT SEULEMENT FAIRE SON DEVOIR! TUER POUR L'HONNEUR DE SON CLAN!

L'HONNEUR, TOSHI? QU'EN RESTE-T-IL?

KWANNON, COMME TU ES BELLE!... JE N'AURAIS JAMAIS CRU POU- VOIR TE CONTEMPLER DANS TA RÉALITÉ NI T'AIMER AUSSI BIEN SANS AVOIR À LUTTER...

NE T'ÉLEURRE PAS TCHEN-QIN : TU NE M'AS PAS SÉDUITE SANS PAYER DE TA PERSONNE. N'AS-TU PAS COMBATTU TA PROPRE RÉ- PUGNANCE...

..POUR ME RÉINVENTER MON ÉCLATANTE BEAUTÉ EN SACRIFIANT LA TIENNE?...

TELLE EST LA LOI SOUVERAINE: FABULEUSE ET ABJECTE...

VIENS AVEC MOI, BONHOMME. JE SAURAI TE GUIDER VERS TON DERNIER RIVAGE...

TU ES TRÈS VIEUX, GRAND-PÈRE. TU ES MORT CENT MILLE FOIS ET CENT MILLE FOIS DÉJÀ, TU ES RESSUSCITÉ.

LE COURROUX DE TON KARMA EST COMME CES EAUX STAGNANTES RETENUES PAR LES DIEUX...

ELLES APPARAISSENT FIGÉES ET LISSES COMME UN MIROIR, POURTANT, ELLES CROISSENT SANS CESSE ET LE NIVEAU DU LAC MONTE DE PLUS EN PLUS HAUT...

IL SUFFIRAIT D'UN RIEN: UNE DERNIÈRE CONVOITISE, UNE SIMPLE INATTENTION, POUR QUE LES VAGUES SE DRESSENT ET T'ENTRAÎNENT À NOUVEAU DANS LEUR FURIE ARDENTE...

...ET QUAND BIEN MÊME TA FORCE SERAIT ENCORE INTACTE, ELLE NE TE SERVIRAIT À RIEN POUR RÉSISTER ...

OSHIKAGA A RÉAGI COMME NOTRE MAÎTRE LE PRÉVOYAIT: SES SAMURAÏS, EN MULTITUDE, FONT MOUVEMENT VERS LE VILLAGE DE CES IDIOTS DE PAYSANS, DE L'AUTRE CÔTÉ DE LA MONTAGNE ...

CA VA ÊTRE UN MASSACRE !

OUI TAKÉ, UNE SACRÉE FÊTE ! ET CE N'EST QU'UN DÉBUT ...

LES AUTRES CULS-TERREUX DES MYOS (*) ALENTOURS SERONT ÉPOUVANTÉS PAR TANT DE CRUAUTÉ

LE FOSSÉ N'EST PAS TRÈS PROFOND ENTRE LA PEUR ET LA RÉVOLTE. NOUS SERONS LÀ POUR LES AIDER À LE FRANCHIR EN TEMPS VOULU ...

NOUS AVONS SU PLANTER LA GRAINE DE LA DISCORDE DANS CETTE ÎLE. LE SANG COULERA À FLOTS POUR NOURRIR SES RACINES.. DEMAIN, APRÈS-DEMAIN, ELLE PORTERA SES FRUITS ...

BON. SUR CES BELLES PAROLES, MOI, JE VAIS ME COUCHER ...

BO ET TORA VOUS RELÈVE-RONT À L'HEURE DU RAT..(²)

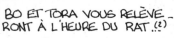

VILLAGES (2) 23. 1H DU MATIN.

ALERTE !
AUX ARMES !!

? ...

PREMIER SORTI,
PREMIER SERVI ! ...

BO ?...

ÉCOUTEZ-MOI, MAUDITS PAYSANS SANS HONNEUR ! RATS PUANTS ! PORCS PERFIDES ! JE VOUS AVAIS GARANTI LA SÉCURITÉ D'UN TRAVAIL RÉGULIER SUR MES TERRES ! ...
JE VOUS AVAIS OFFERT MA JUSTICE, ET QU'AVEZ-VOUS FAIT POUR ME REMERCIER ? ...

VOUS AVEZ REFUSÉ DE PAYER VOS IMPÔTS ! VOUS AVEZ PRIS LES ARMES ! VOUS AVEZ MASSACRÉ NEUF DE MES SAMURAÏS D'ÉLITE !! ...

PITIÉ, PUISSANT DAIMYO, MAIS NOUS NE SAVONS RIEN DES CRIMES QU'ON NOUS REPROCHE ! ... C'EST... C'EST UN MALENTENDU...

TAIS-TOI !

SIRE, VOUS PERDEZ UN TEMPS PRÉCIEUX À ESSAYER DE DISCUTER AVEC CES BOUSEUX ARRIÉRÉS. ILS NE COMPRENNENT PAS VOTRE LANGUE.

CE NE SONT PAS DES HOMMES : DE SIMPLES ANIMAUX !

...MAIS DES BÊTES SANS VALEUR ET SANS AUCUNE MANIÈRE, DÈS LORS QU'ILS SE RÉVOLTENT...

TU AS RAISON, KOZO : CEUX-LÀ NE ME SONT PLUS D'AUCUNE UTILITÉ ! JE NE VEUX PLUS LES VOIR !... QUE TOUTE TRACE DISPARAISSE !

OUI KAÏ, ET JE CRAINS FORT D'ARRIVER TARD APRÈS LA FÊTE...

TOSHI !? EST-CE TOI ?

QUE PENSES-TU DE CE SPECTACLE ?

JE NE VOIS LÀ AUCUNE DES FIGURES DES BRIGANDS QUI NOUS ONT ATTAQUÉS, VOUS AVEZ DÉCIMÉ DES CENTAINES D'INNOCENTS.

UN CUL-TERREUX N'EST JAMAIS UN INNOCENT, TOSHI !

IL EST STUPIDE ET PARESSEUX ! IL PASSE SON TEMPS À COMPLOTER, À BOIRE DU THÉ ET DU SAKÉ ET À S'EMPIFFRER DES PORTIONS DE RIZ QUI NOUS REVIENNENT... LES PAYSANS SONT TOUS DES CHIENS !!..

37

.LES CHIENS ONT BESOIN D'UNE MAIN FERME POUR LES TENIR ET LES GUIDER .IL LEUR FAUT QUELQUES BONS COUPS DE PIED POUR LEUR RAPPELER LEUR SERVICE MAIS AUSSI DES OS À RONGER...

JE N'APPROUVE PAS CETTE SAUVAGERIE ET TOUS CES MORTS INJUSTIFIÉS ...

TOSHI ! OÙ T'ÉTAIS-TU SAUVÉ ?

PARDON , NOBLE DAIMYO : JE M'ÉTAIS ÉCARTÉ DE LA VOIE DU GUERRIER .J'ÉTAIS LAS DE N'ÊTRE QU'UN PANTIN QU'ON DÉPLACE .ET J'AVAIS OUBLIÉ MON DEVOIR PRIMORDIAL ....

JE REGRETTE SINCÈREMENT MA DÉSOBÉISSANCE .JE NE MÉRITE AUCUNE CLÉMENCE . FAITES DE MOI CE QU'IL VOUS PLAIRA ...

RELÈVE-TOI , IMBÉCILE ! J'AI ENCORE UN RÔLE POUR TOI !

JE VOUS EN PRIE , SEIGNEUR , PUNISSEZ-MOI . PRENEZ MA TÊTE ...

COMMENT !? JE T'ORDONNE DE VIVRE ET TU AS L'INSOLENCE DE DISCUTER !?

JE NE TIENS PAS À DISCUTER ,SEIGNEUR ...

...JE VEUX SEULEMENT VOUS FAIRE COMPREN-DRE QUE MALGRÉ TOUTE MA BONNE VOLONTÉ ,JE NE SUIS PAS SÛR DE POUVOIR FAIRE CE QUE VOUS ME DEMANDEREZ DE LA FAÇON DONT VOUS LE SOUHAITEZ .

"... PARDONNEZ-MOI, MON MAÎTRE, MAIS IL M'EST DEVENU IMPOSSIBLE D'ÊTRE HEUREUX OU MÊME DE FAIRE SEMBLANT. TROP DE QUESTIONS ASSAILLENT MON ESPRIT. TROP DE DOUTES. MON HARMONIE EST MORTE ...

...JE VOUS DEMANDE TRÈS HUMBLEMENT LA PERMISSION DE LA REJOINDRE EN ME FAISANT HARA-KIRI, OU AU MOINS, DE ME RASER LE CRÂNE POUR ME FAIRE MOINE ET DISPARAÎTRE AUX YEUX DE CE MONDE.

IL N'EN EST PAS QUESTION, TOSHI !

TON PÈRE ÉTAIT L'AMI DU MIEN ET SON PLUS FIDÈLE SERVITEUR ...

... À CAUSE DE LUI, DE SON SOUVENIR, J'AI ÉCOUTÉ AVEC PATIENCE TES PAROLES TÉMÉRAIRES. À PRÉSENT, ÇA SUFFIT ! CESSE DE TE COMPORTER COMME UN ENFANT !!

LAISSONS CETTE ÂME SENSIBLE À SA MÉLANCOLIE. MON PALAIS FORTIFIÉ N'EST PLUS TRÈS ÉLOIGNÉ, PERCHÉ SUR UNE COLLINE QUI DOMINE L'OCÉAN...

LA VUE Y EST SUPERBE ET LA PLACE NE MANQUE PAS, NI LES JOLIES ESCLAVES, POUR OFFRIR À NOS HOMMES UN PEU DE DISTRACTIONS

À PROPOS DE "SUPERBE". TES CHEVAUX SONT ORNÉS DE BIEN ÉTRANGES GRELOTS

CES TÊTES APPARTENAIENT AUX ASSASSINS DE TCHEN ET DE NOS COMPAGNONS ....

J'EN AI ABATTU SEPT. LES AUTRES ONT PU S'EN_ FUIR PAR L'AUTRE BOUT DE LA GROTTE.. JE N'AVAIS PAS PRÉVU CETTE ISSUE DE SECOURS ...

LE BORGNE VIT TOUJOURS MAIS JE N'AURAI DE CESSE DE L'AVOIR RETROU_ VÉ POUR COMPLÉTER MA COLLECTION !..

LE TEMPS S'EST LIQUÉFIÉ. L'ESPACE S'EST DILUÉ. PLUS DE JOURS. PLUS DE NUITS.

PLUS RIEN D'AUTRE N'EXISTE QUE CETTE EAU IMMOBILE QU'IL NOUS FAUT TRAVERSER ....

ET L'AUTRE RIVE, KWANNON ? ET LE BOUT DU VOYAGE ?

C'EST À TOI DE L'INVENTER PAR TA MÉDITATION .... NE RELÂCHE PAS TA GARDE CAR D'UNE SEULE PETITE RIDE, LA TEMPÊTE PEUT RENAÎTRE ...

MAIS TU TREMBLES ! TU AS FROID ? OU ALORS TU HÉSITES ?

JE ... JE REGRETTE, KWANNON : LA FORCE DES HABITUDES !... LA MAUVAISE INFLU_ ENCE DE MON OMBRE OBSTINÉE..

TON OMBRE, GRAND_ PÈRE ? QUELLE OMBRE ? TON OMBRE N'EST PLUS ICI : TU L'AS ABANDONNÉ SUR LA RIVE ILLUSOIRE EN MÊME TEMPS QUE TA JEUNESSE ...

NE PENSE À RIEN, VIEIL HOMME. VIDE TON ESPRIT DES DERNIÈRES PENSÉES PARASITAIRES QUI TE RATTACHENT ENCORE AU MONDE TEMPOREL... TOUT DÉPEND DE CET INSTANT ....

4

MAIS TCHEN-QIN N'ÉCOUTE PLUS, IL VOIT SE PROJETER DANS LE MIROIR DE L'EAU D'ÉTRANGES REFLETS MOUVANTS, SURGIS DE SA MÉMOIRE DU MONDE DE L'EXTÉRIEUR...

...DU TEMPS OÙ IL RÊVAIT ENCORE PARMI LES HOMMES, SUR LA TERRE DES VIVANTS...

DES IMAGES QUI S'ÉTIRENT... DES IMAGES QUI ATTIRENT...

DEUX JOURS, DEUX NUITS DÉJÀ QUE JE TOURNE ET RETOURNE COMME UN PAPILLON FOU DANS LE DÉDALE STÉRILE DE CES MAUDITES MONTAGNES...

À QUOI BON ME BERCER PLUS LONGTEMPS D'ILLU- SIONS !? TOSHI AVAIT RAISON...

TCHEN-QIN M'A OUBLIÉE...

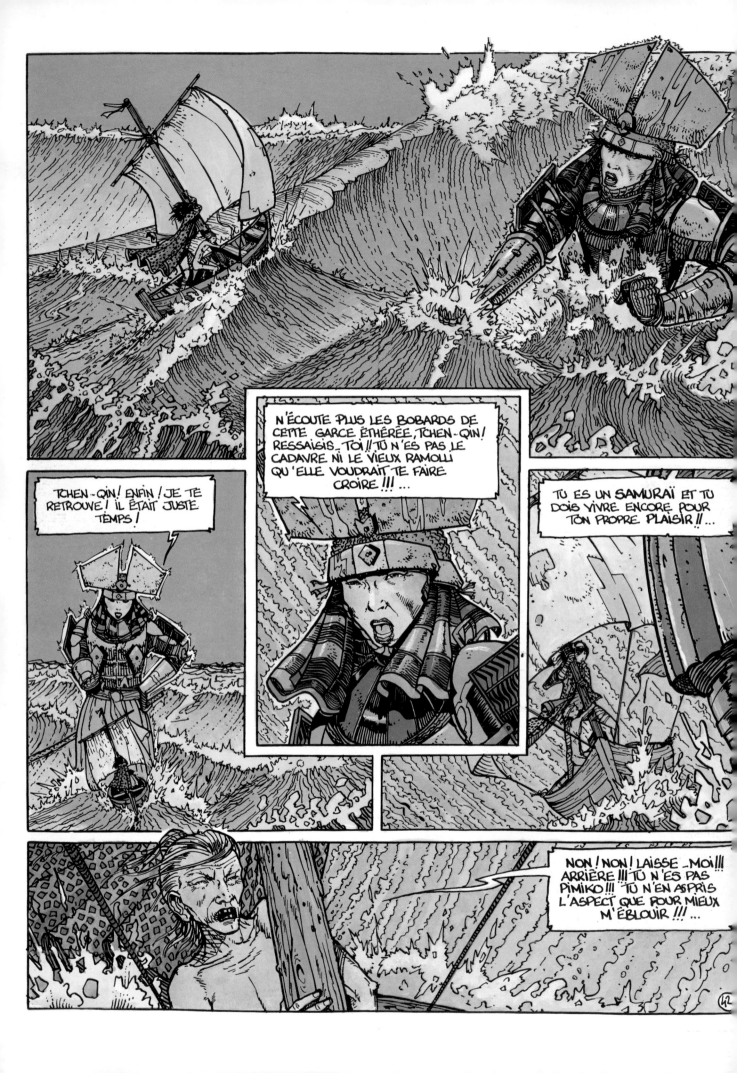

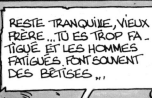
...NI LA VIE, NI LA MORT...

LE PARADIS DES DIEUX N'ÉTAIT PAS FAIT POUR TOI, TCHEN-QIN. J'EN SUIS HEUREUX !...

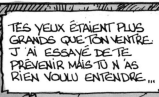
RESTE TRANQUILLE, VIEUX FRÈRE...TU ES TROP FATIGUÉ ET LES HOMMES FATIGUÉS, FONT SOUVENT DES BÊTISES...

TES YEUX ÉTAIENT PLUS GRANDS QUE TON VENTRE. J'AI ESSAYÉ DE TE PRÉVENIR MAIS TU N'AS RIEN VOULU ENTENDRE...

À PRÉSENT, C'EST FINI : TOUT EST RENTRÉ DANS L'ORDRE...

NE T'AGITE PAS, SEIGNEUR, TU ES ENCORE TROP FAIBLE...

NE CHERCHE PAS TES ARMES : L'EAU LES A EMPORTÉES... TU N'EN AURAIS D'AILLEURS AUCUNE UTILITÉ...

MES ARMES ? JE NE SAIS PAS DE QUOI TU VEUX PARLER !... ET D'ABORD, QUI ES-TU ??

MON FILS ME NOMME MARA...

JE REGRETTE DE TE DIRE QUE JE SUIS UNE HININ, UNE ÉTA RÉPROUVÉE...

MON VILLAGE M'A CHASSÉ, IL Y A BIEN LONGTEMPS, POUR AVOIR COCUFIÉ LE POURCEAU DE MARI QUE MA FAMILLE M'AVAIT OBLIGÉ D'ÉPOUSER...

45

CET HOMME A VOYAGÉ PLUS DE TROIS JOURS DANS LE VENTRE DU BUDDHA... ET IL N'A PAS AIMÉ TOUT CE QU'IL Y A VU !...

À PRÉSENT, JE CROIS BIEN QU'IL A TOUT OUBLIÉ. IL EST COMME UN HOMME NEUF...

QU'ALLONS-NOUS FAIRE DE LUI, MAMAN ? NOUS SOMMES SI PAUVRES !...

PEUT-ÊTRE NOUS AIDERA-T-IL QUAND IL SERA SUR PIED...

MAIS COMMENT L'APPELER S'IL FAUT QU'IL OBÉISSE ?

DU NOM DE LA RIVIÈRE OÙ NOUS L'AVONS PÊCHÉ...

"MIZU"?... OUI, POURQUOI PAS !...

SEI, LA JOURNÉE S'ACHÈVE. VA CHERCHER DU BOIS MORT POUR ALLUMER UN FEU ET RÉCHAUFFER LES OMBRES AVANT QU'ELLES NE S'ÉTEIGNENT...

LES OMBRES SONT UN DES RARES PRIVILÈGES DES VIVANTS. LEURS SEULES PROPRIÉTÉS ET LEURS SEULES GARANTIES CONTRE LES MALÉFICES DU ROYAUME DE LA NUIT...

46

FIN DE L'ÉPISODE. COTHIAS, ADAMO

COTHIAS · ADAMOV

LE VENT DES DIEUX

L'homme oublié

—— TOME 3 ——

Glénat

POUR QUE SA VOLONTÉ SOIT FAITE, IL ENVOYA SUR TERRE UN DE SES MESSAGERS...

HÉ, HO! LES HOMMES, SORTEZ DE VOS TROUS : JE SUIS VENU VOUS APPORTER UNE BONNE NOUVELLE ...

"...MAIS L'ÉMISSAIRE TOMBA, PAR ACCIDENT, SUR UNE NICHÉE DE SERPENTS...

AU COMMENCEMENT DES TEMPS, L'EMPEREUR CÉLESTE VOULAIT LAISSER LES HOMMES VIVRE ÉTERNELLEMENT...

: POUR PRÉSERVER SA VIE, IL FUT CONTRAINT DE PROCLAMER LE CONTRAIRE DE CE QUI LUI AVAIT ÉTÉ RECOMMANDÉ...

LES ÊTRES HUMAINS MOURRONT TANDIS QUE LES SERPENTS ÔTERONT D'EUX-MÊMES LEUR PEAU FANÉE POUR REDEVE... IR JEUNES...

L'AUTEUR DE CE CONTR-ORDRE FUT GRAVEMENT PUNI PAR L'EMPEREUR CÉLESTE ET EXILÉ SUR TERRE SOUS LA FORME D'UN BOUSIER ...

LE BOUSIER VIT DANS LES EXCRÉMENTS DES HUMAINS ...

MAÎTRE ODA?... S'IL VOUS PLAÎT...

OH! C'EST TOI, SEI? EH BIEN?

PARDONNEZ MON AUDACE, ODA SAN, MAIS MA MÈRE A GRAND BESOIN DE VOUS...

N'Y ALLEZ PAS, VÉNÉRÉ MAÎTRE : LA FOLLE DE LA MONTAGNE N'EST PAS UNE CRÉATURE HUMAINE, C'EST UNE FEMME_ INSECTE, UNE PROSTITUÉE...

LES GENS DE SON VILLAGE L'ONT MARQUÉE AU FER ROUGE ET EXCLUE DE LEUR VIE...

C'EST UNE MARÂHACHIBU : UNE RÉPROUVÉE...

ELLE ET SON FILS SONT ENCORE PIRES QUE LES BOUSIERS DONT PARLE LA LÉGENDE !...

TAISEZ_VOUS, BANDE DE PORCS! LOURDAUS SANS COMPASSION! CULS-TERREUX, HYPOCRITES!

MAIS, MAÎTRE VÉNÉRÉ !!!

VOUS ÊTES TOUS BIEN HEUREUX D'ALLER TROUVER MARA QUAND VOS FEMMES SONT EN COUCHES OU QUAND ELLES SAIGNENT TROP ET QUE VOS VITS PUANTS VOUS GONFLENT ENTRE LES CUISSES!...

RETOURNEZ À VOS VIES BOR_NÉES ET MISÉRABLES! ALLEZ_VOUS-EN, NAVETS! CHOUX_RAVES! LÉGUMES SANS ÂMES! MA LEÇON EST FINIE!

VOUS NE MÉRITEZ PAS LE MAL QUE JE ME DONNE POUR VOUS CIVILISER!...

NE REVENEZ ME VOIR QUE QUAND VOUS COMPRENDREZ LES RÈGLES ÉLÉMENTAIRES DE SOLIDARITÉ ET DE MISÉRICORDE!...

MON HUMBLE DEMEURE EST HONORÉE PAR VOTRE PRÉSENCE, SEIGNEUR OSHIKAGA, COMME L'EST L'OBSCURITÉ PAR LE SOLEIL, LA VULVE PAR LE GLAND, UN VIDE PAR UNE RAFALE DE VENT...

"HUMBLE DEMEURE", KÔZÔ? MES YEUX CHERCHENT PARTOUT MAIS ILS NE VOIENT NULLE PART LA MOINDRE HUMILITÉ !...

PARDONNEZ-MOI, MON SIRE : SACHANT VOTRE VISITE, J'AI TOUT FAIT DÉCORER POUR VOUS ÊTRE AGRÉABLE...

CELA A DÛ COÛTER UN GRAND NOMBRE DE KOKUS(*)...

OUI SEIGNEUR : ENCORE PLUS QUE VOUS N'IMAGINEZ !

AVANT D'ÊTRE LE GÉNÉRAL DE VOTRE ARMÉE, J'ÉTAIS VOTRE MYOCHI = RÉGISSEUR DE VOS TERRES ET COLLECTEUR D'IMPÔTS...

J'AI BEAUCOUP TRAVAILLÉ POUR ACCROÎTRE VOTRE FORTUNE ET LA FORTUNE DU MAÎTRE ENRICHIT SON VALET...

③

TÉ DE MONNAIE, DANS LE JAPON ANCIEN.

SEIGNEUR KŌZŌ, DEUX MOINES BOUDDHISTES SONT LÀ, QUI PRÉTENDENT AVOIR RENDEZ-VOUS...

QUI SONT CES FRELUQUETS MAQUILLÉS COMME DES FEMMES ?

OUI, JE LES ATTENDAIS...

DES ÉTUDIANTS, SEIGNEUR, DE FUTURS SAMURAÏS

ILS SONT CHÉRIS DES BONZES AUXQUELS ILS SERVENT DE PAGES ET D'INSTRUMENTS DE PLAISIRS...

NOUS POUVONS NOUS FLATTER, VOS GRÂCES, DE POSSÉDER LES PLUS BEAUX DE LA RÉGION, LES PLUS TALENTUEUX ET LES PLUS COMPLAISANTS ! "

CEUX-LÀ SONT LA FIERTÉ DE NOTRE MONASTÈRE. ILS SONT TOUS FILS DE NOBLES ET NOUS SOMMES CHARGÉS DE LEUR ÉDUCATION DANS LES MOINDRES DÉTAILS...

ILS SAURONT APPORTER UN PEU DE PIMENT À VOS JEUX ÉROTIQUES⁽¹⁾ MAIS TÂCHEZ DE NE PAS TROP NOUS LES ABÎMER...

SI LA CHOSE EST POSSIBLE !

COMBIEN AS-TU ENCORE PAYÉ CES FANTAISIES ?"

QUELLE IMPORTANCE, SEIGNEUR ? RIEN N'EST JAMAIS TROP CHER POUR VOTRE DISTRACTION !

① : DANS LE JAPON MÉDIÉVAL, L'HOMOSEXUALITÉ, COMME LA PÉDÉRASTIE ÉTAIT FRÉQUENTE ET ADMIRÉE DANS LES SOCIÉTÉS MONACALES ET GUERRIÈRES.

JE TE SOUPÇONNE, KÔZÔ, D'AVOIR "UN PEU" GONFLÉ TA PART DE MON TRÉSOR...

QUI N'A JAMAIS TRICHÉ ME JETTE LA PREMIÈRE PIERRE, SEIGNEUR OSHIKAGA. C'EST UN PROVERBE CHRÉTIEN...

KRAÎ_TI_HEIN? JE N'AI JAMAIS ENTENDU CE NOM...

IL S'AGIT, SIRE DAÎMYÔ, DE BARBARES D'OCCIDENT, AVEC DES NEZ TRÈS LONGS...

UN PETIT GROUPE D'ENTRE EUX A ÉTÉ CAPTURÉ PAR NOTRE IL-LUSTRE EMPEREUR. NOTRE MOINE NICHIREN LES A INTERROGÉS, DU TEMPS OÙ IL AVAIT SES AUDIENCES À LA COUR. IL A APPRIS LEUR LANGUE ET S'EMPLOIE À TRADUIRE LEURS OUVRAGES ESSENTIELS...

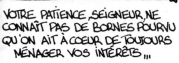

IL Y EST DIT AUSSI "CELUI QUI VOIT LA PAILLE DANS L'ŒIL DE SON VOISIN NE VOIT PAS LA POUTRE QUI EST DANS LE SIEN"...

TON INSOLENCE M'AMUSE, MAIS PRENDS GARDE À NE PAS ABUSER DE MA PATIENCE...

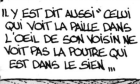

VOTRE PATIENCE, SEIGNEUR, NE CONNAÎT PAS DE BORNES POURVU QU'ON AIT À CŒUR DE TOUJOURS MÉNAGER VOS INTÉRÊTS...

JE SUIS UN PEU VOLEUR, JE L'ADMETS SANS DÉTOUR, MAIS MES CRIMES VOUS PROFITENT. JE SUIS AUSSI JOUEUR ET MES JEUX VOUS ENCHANTENT...

JE PARTAGE VOTRE GOÛT SUBTIL POUR LA CHAIR TENDRE ET CES MIGNONS...LÀ SONT DE PURES DÉLICATESSES...

POURQUOI CE FRONT BUTÉ ET CETTE MINE CONSTIPÉE, TOSHI ? TOUT LE MONDE SAIT QUE TU ES UNE TAPETTE ...

JE T'AUTORISE À TE JOINDRE À NOS GALIPETTES ...

NON MERCI, SANS FAÇONS, SEIGNEUR OSHIKAGA, JE NE SUIS PAS D'HUMEUR À LA FRIVOLITÉ ...

JE VOUS DEMANDE LA PERMISSION DE ME RETIRER ...

CEPENDANT, À PLUSIEURS HEURES DE LÀ ...

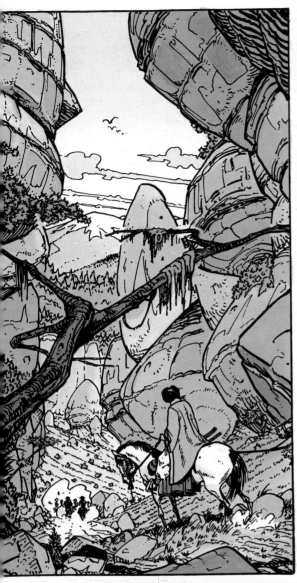

PARDON, MES GENTILS SIRES, OÙ COUREZ-VOUS SI VITE ET POURQUOI CACHEZ-VOUS VOS VISAGES DANS L'OMBRE DE VOS CHAPEAUX ?

HÉLAS, JOLIE POUPÉE, NOUS SOMMES TOUS TROP VILAINS POUR OSER NOUS MONTRER EN PLEINE LUMIÈRE ,,,

ET TOI, QUI DONC ES-TU POUR OSER T'AVENTURER SEULE AU CŒUR DU HAUT-PAYS ? CES LIEUX NE SONT PAS SÛRS : ON LES DIT INFESTÉS DE TOUTES SORTES DE BÊTES SAUVAGES ET DE BRIGANDS ,,,

JE NE CRAINS PAS LES BÊTES ETENCORE MOINS LES HOMMES ,,,

,,, LE DERNIER QUI A ESSAYÉ DE M'ARRÊTER Y A PERDU LA TÊTE ,,,

MON NOM EST PIMIKO. J'ÉTAIS LA CONCUBINE DU RÉGENT OSHIKAGA. J'AI QUITTÉ SA MAISON POUR CHERCHER MON AMANT. (1)

HÉ! HÉ! EN VOILÀ UN QUI AURA DU PLAISIR AVANT QU'IL SOIT LONGTEMPS! QUELLE PITIÉ QUE NOUS NE PUISSIONS LE REMPLACER ,,,

(1) VOIR " LE SANG DE LA LUNE ".

⑦

TCHEN QIN EST LE PLUS GRAND DES SAMURAÏS D'ÉLITE DE SIRE OSHIKAGA ET IL VAUT, À LUI SEUL, TOUS LES MÂLES DE LA TERRE !

NOUS CONNAISSONS TON AMI DE RÉPUTATION !!!

"!! MAIS ON DIT QU'IL EST MORT, EN MÊME TEMPS QU'UNE DIZAINE DE SES COMPAGNONS D'ARMES, AU COURS D'UNE EMBUSCADE TENDUE PAR UNE POIGNÉE DE PAYSANS REBELLES...

TCHEN QIN A TROP D'HONNEUR POUR PÉRIR SI SOTTEMENT !...

"... JE SAIS QU'IL VIT TOUJOURS ET JE LE RETROUVERAI, DUSSÉ-JE Y CONSACRER LE RESTE DE MES JOURS !...

QUI SAIT, PETIT OISEAU ?

TA FOI POURRA PEUT-ÊTRE SOULEVER CES MONTAGNES, SINON LES APLANIR ! MAIS NOUS AVONS PERSONNELLEMENT TROP DE TRAVAIL POUR NOUS OFFRIR LE LUXE DE PARLER DAVANTAGE !...

ADIEU, PETIT NUAGE. TOUS NOS VOEUX T'ACCOMPAGNENT !...

CETTE FILLE ÉTAIT TRÈS BELLE ! SANS DOUTE AURIONS NOUS. PU NOUS AMUSER UN PEU ...

OUI MYÔGO, MAIS LA ROUTE EST ENCORE LONGUE JUSQU'AU MANOIR DE SIRE KÔZÔ ...

LE TIGRE VEUT QU'ON Y SOIT AVANT LA FIN DU JOUR !

TU VOULAIS ME PARLER, MARA ?

OUI, MAÎTRE ODA. ET SURTOUT TE MONTRER CET HOMME ...

QUI EST_CE ?

JE NE SAIS PAS ...

JE CROIS QU'IL A PERDU SON ÂME ET SA RAISON. JE L'AI APPELÉ MIZU, DU NOM DE LA RIVIÈRE PRÈS DE LAQUELLE JE L'AI TROUVÉ, GISANT À DEMI MORT, LE CORPS PERCÉ DE FLÈCHES ...(*)

J'AI SOIGNÉ SES BLESSURES DU MIEUX QUE JE POUVAIS ET JE L'AI CRU GUÉRI MAIS LE MAL L'A REPRIS. ÉCOUTE COMME IL DÉLIRE : SA TÊTE EST PLEINE D'ÉTRANGES VISIONS D'UN AUTRE MONDE ...

NON !... PITIÉ !... CE COMBAT EST AU-DESSUS DE MES FORCES ...

ARRIÈRE, VIEILLE FOLLE ! ARRIÈRE !! ...

LAISSE_MOI SEUL AVEC LUI. JE VAIS TENTER DE LE REJOINDRE DANS SON CAUCHEMAR ...

DE QUELLE FOLLE PARLES_TU, MIZU ? DÉCRIS_LA_MOI ...

TOUT SON CORPS, DE LA TÊTE AU PIEDS, EST_IL PLUS NOIR QUE LE CHARBON ?

JE NE VEUX PAS MONTER DANS TON BATEAU DU DIABLE ! ...

: SES JAMBES SONT_ELLES DIFFORMES ET BANDÉES ? SES GENOUX SONT_ILS NOUEUX ? SES MAINS CROCHUES ? ET SES ONGLES BLÊMES ? ...

VOIR "LE VENTRE DU DRAGON"

9

« LA MASSE ABONDANTE DE SES CHEVEUX GRIS RESSEMBLE-T-ELLE À LA QUEUE D'UN CHE-VAL ET LAISSE-T-ELLE EN-TREVOIR LE SOMMET DE SON CRÂNE CHAUVE ?...

« ÉCOUTE MIZU, ÉCOUTE.- TÂCHE DE TE RAPPELER -SES YEUX ÉTAIENT SANS DOUTE ROUGIS PAR LES FUMÉES DES ESPACES INFERNAUX ...

...JE NE SAIS PLUS ... PEUT-ÊTRE ...

SON VENTRE ÉTAIT FRIPÉ, TACHÉ, SA PEAU MALSAINE .SON SOURI-RE DÉCOUVRAIT SES CHICOTS RÉPUGNANTS ...

« QUAND NOUS NOUS SOMMES AIMÉS, ELLE EST DEVENUE BELLE ET SON ÉTREINTE ÉTAIT D'UNE DOUCEUR INEFFABLE ...

C'ÉTAIT TA MORT, PETIT. TU AS CONNU TA MORT DANS LE VENTRE DU DRAGON ...

TU RÊVAIS D'ÉCHAPPER AU CYCLE DU KARMA.

TU DÉSIRAIS GOÛTER À LA BÉATITUDE SUPRÊME DE L'EXTINCTION, MAIS TU N'AS PAS SU TE LIBÉRER TOUT À FAIT DES DERNIÈRES ILLUSIONS ET TU ES RESSORTI VAINQUEUR DE TA DÉFAITE ...

...?!/

TU ES VIVANT, MIZU, QUE ÇA TE PLAISE OU NON, ET TON CORPS EST SOLIDE ...

10

NOUS Y SOMMES !
PIED À TERRE !

ON EST TRÈS EN AVANCE ET, SAUF VOTRE RESPECT, ON AURAIT LARGEMENT EU LE TEMPS ET LE LOISIR DE S'OCCUPER DE LA FILLE !...

OUI MYÔGO, MAIS CETTE GARCE NOUS AURAIT CERTAINEMENT DONNÉ DU FIL À RETORDRE. LE TIGRE LA CONNAÎT BIEN ET IL M'EN A PARLÉ...

...C'EST UNE SACRÉE FINE LAME : PRESQUE AUSSI REDOUTABLE QUE QIN !

ALORS ?...

...IL S'EST AVENTURÉ JUSQU'AU COEUR DE LUI-MÊME, DANS LE CENTRE DU MONDE, ET IL A FAIT L'AMOUR AVEC LA VIEILLE KWANNON, UNE DES INCARNATIONS DU BUDDHA AMIDA...

IL S'EST BRÛLÉ LA TÊTE AU FEU DU PUITS ARDENT, IL N'A PLUS QUE DES BRIBES DE MÉMOIRE CALCINÉES...

MAIS SON COEUR BAT, N'EST-CE PAS ?

OUI MARA : SON COEUR BAT ET SES MUSCLES SONT PUISSANTS MAIS SON CERVEAU EST VIDE. IL N'A PLUS DE PASSÉ ET ENCORE MOINS D'AVENIR. IL EST UN MORT-VIVANT... UN CADAVRE QUI MARCHE... IL NE S'APPARTIENT PLUS...

CET HOMME A ACCOMPLI UN PÉRILLEUX VOYAGE DANS LES ESPACES TORTUEUX DE SON PROPRE ESPRIT ET IL S'EST ÉGARÉ DANS UN ROYAUME HANTÉ DE FIGURES SYMBOLIQUES EMPRUNTÉES À L'IMAGINATION DE SON TEMPS...

ALORS, IL EST À MOI !...

⑪

COMMENT TE REMER-
CIER, ODA, POUR TES
BONTÉS ET POUR CE
DÉRANGEMENT?

JE N'AI RIEN
À T'OFFRIR QUE
MON CORPS DE
PUTAIN ...

IL ME SUFFIRA BIEN, POUR
PEU QUE TU Y METTES UN
SEMBLANT DE
TENDRESSE ...

TU AURAIS DÛ RESTER
AVEC LES JOLIS PAGES,
VIEUX CAMARADE ...

BUDDHA N'A T-IL PAS DIT
QUE LES ÉLANS DU SEXE
FONT PARTIE DES CHOSES DE
LA VIE? ...

BUDDHA A DIT AUSSI QU'IL N'Y
A PAS DE RAISON D'Y ATTACHER
PLUS D'IMPORTANCE QU'IL N'EST
NÉCESSAIRE! ...

JE DEVINE TES PENSÉES, TOSHI,
MAIS UN SAMURAÏ D'ÉLITE N'A
PAS À S'EMBARRASSER DE
SENTIMENTS PERSONNELS ...

JE CRAINS PAR-DESSUS TOUT
LA MAUVAISE INFLUENCE DE NOTRE
GÉNÉRAL ...

SIRE KŌZŌ EST MALIN AU-
DELÀ DE TOUTE IMAGINATION
ET DÉVORÉ PAR LE VICE AU-
DELÀ DE TOUTE LIMITE! ...

12

TCHEN QIN AVAIT RAISON DE SE MÉFIER DE LUI : SES EXCÈS NOUS ENTRAÎNENT SUR UNE VOIE PÉRILLEUSE ,,,

NOUS N'AVONS PLUS D'HONNEUR.

À DÉFAUT DE L'HONNEUR, IL RESTE L'OBÉISSANCE : LA LOYAUTÉ AU MAÎTRE QUE NOUS NOUS SOMMES CHOISI ,,,

TCHEN QIN EST MORT, VIEUX FRÈRE ,,, ET C'EST EN GRANDE PARTIE MA FAUTE ! JAMAIS JE NE POURRAI OUBLIER CETTE HONTE ,,, (*)

"CHOISI", KAÏ ? NOUS N'AVONS PAS EU LE MOINDRE CHOIX ,,,

,,NOUS SOMMES NÉS SAMURAÏS COMME D'AUTRES NAISSENT CULS-TERREUX, BOITEUX OU BORGNES ,,,

TOSHI ! JE T'EN CONJURE, NE PARLE PLUS AINSI ! ,,, TU RÉFLÉCHIS TROP BIEN. TU ME DONNES LE VERTIGE ,,,

UN SAMURAÏ D'ÉLITE DOIT SAVOIR CONTRÔLER SES HUMEURS NÉGATIVES ET SA MÉLANCOLIE ,,,

PEUT-ÊTRE NE SUIS-JE PLUS UN SAMURAÏ D'ÉLITE ?

JE SUIS ÉCOEURÉ DES BATAILLES. J'AI DÉCIDÉ DE QUITTER CE MONDE POUR REVÊTIR LE FROC DE MOINE ET POUR PRIER, NON POUR MOI-MÊME, MAIS POUR L'ÂME DE TOUS CEUX QUI SONT MORTS DE MES MAINS ,,,

* " LE SANG DE LA LUNE "

⑬

CE N'EST PAS UNE MAUVAISE IDÉE. JE SUIS PRÊT À T'ACCOMPAGNER ! ...

D'ACCORD ! PISSONS SUR CE MARCHÉ ! ...

?!!

OÙ TU VAS ?

ME COUCHER ...

NOUS PRÉVIENDRONS DEMAIN LE SIRE OSHI-KAGA DE NOTRE DÉCISION.

NON MYÔGO : PAS DE SABRE : SOUVIENS-TOI QUE NOUS SOMMES CENSÉS N'ÊTRE QU'UNE BANDE DE PAYSANS GROSSIERS ,,,

LES BOUSEUX N'UTILISENT JAMAIS D'ARMES DE CETTE SORTE ,,,

PARDON, YAMATO SAN. JE SUIS UN IMBÉCILE ET JE MÉRITE LA MORT ,,,

TA MORT FAIT, EN EFFET, PARTIE DU PLAN DU TIGRE. ET AUSSI LA MORT DE YOSHI ET DE MUCHI ,,,

MAIS N'AYEZ PAS D'INQUIÈTUDE POUR VOS SALAIRES : ILS SERONT INTÈGRALEMENT VERSÉS À VOS VEUVES ,,,

ET MAINTENANT, ALLONS ! VOUS CONNAISSEZ VOS RÔLES. ÉVITEZ DE FAIRE DU ZÈLE ,,,

15

AUX ARM...!?

!?!?...

PAR LA VERGE D'AMIDA !

MERCI KŌZŌ. JE TE DOIS UNE VIE ET JE DÉTESTE ÇA !,,,

JE SUIS TON OBLIGÉ. QUE LES DIEUX TE MAUDISSENT !

JE N'AI FAIT QUE MON DEVOIR ET JE N'EN TIRE AUCUN MÉRITE ,,,

DES PROBLÈMES, VOTRE SEIGNEURIE ?

NON TOSHI : PLUS DE PROBLÈMES ,,, À MOINS QUE CES SCORPIONS NE SOIENT PAS VENUS SEULS ,,,

ILS ÉTAIENT UNE DOUZAINE, VOTRE SUBLIMITÉ . NOUS EN AVONS ABATTU TROIS ,,,

LES AUTRES SE SONT ENFUIS SANS DEMANDER LEUR RESTE À LA SUITE DE LEUR CHEF BORGNE ,,,

"CHEF BORGNE", DIS-TU ? PAR LES TRIPES D'AMIDA BUTSU ! CETTE BANDE EST LA MÊME QUI A ASSASSINÉ TCHEN !!

EN CHASSE, KÔZÔ ! EN CHASSE ! PLUS UNE SECONDE À PERDRE ! TCHEN QIN ÉTAIT UN DE MES JOUETS PRÉFÉRÉS ! JE VEUX VENGER SA MORT ! IL FAUT EXTERMINER CES BONGES [*] JUSQU'AU DERNIER !! '''

LA COLÈRE EST MAUVAISE CONSEILLÈRE, VOTRE GRÂCE. LA LUNE EST CAPRICIEUSE '''

'''... ET PEUT-ÊTRE SONT-... ILS NOMBREUX, DEHORS, À NOUS ATTENDRE ? '''

JE N'AI PAS PEUR DES BONGES ! LES BONGES NE SAVENT PAS SE BATTRE ! LES BONGES SONT TOUS DES LÂCHES !

CELUI-LÀ VIT ENCORE, SANS DOUTE NOUS DIRA-T-IL QUI IL EST, D'OÙ IL VIENT ET QUI SONT SES AMIS ?

EH BIEN, PARLE, MAUDIT SINGE !

PARLERAS-TU, CLOPORTE !?!?

AÏE ! PI-... PITIÉ, SEIGNEUR '''... JE '''... JE NE VOULAIS PAS ! '''... C'EST LE TIGRE QUI M'A EMPOISON-NÉ LA TÊTE '''

AMES QUELCONQUES, PAYSANS.

19

LE "TIGRE" !?!? QU'EST-CE QUE C'EST ENCORE QUE CETTE HISTOIRE ? IL N'Y A JAMAIS EU DE TIGRES DANS L'ÎLE SADO !!!

ON,,, ON PRÉTEND QU'IL EST UN ANCIEN MOINE GUERRIER,,, IL EST EN TRAIN DE SOU-LEVER TOUS VOS VIL-LAGES, LES UNS APRÈS LES AUTRES,,, IL NOUS PARLE DE LIBERTÉ ET DE JUSTICE,,,

LIBERTÉ ET JUSTICE ?! CES MOTS NE VEULENT RIEN DIRE ! OÙ SE CACHE-T-IL TON TIGRE ? RÉPONDS OU JE T'ÉCRASE ! ,,,

LE,,, LE TIGRE N'EST PAS UN ANIMAL, S,,, SEIGNEUR : C'EST LE NOM DU DÉMON QUI A ARMÉ NOS BRAS,,, C'EST LE NOM QU'IL SE DONNE,,,

DOUCEMENT, VOTRE GRÂCE : CE DRÔLE NE TIENT PLUS À LA VIE QUE PAR MIRACLE,,,

TU AS RAISON, KŌZŌ : JE ME LAISSE EMPORTER PAR MON RESSENTIMENT ET C'EST UNE VILAINE CHOSE, INDIGNE DE MON RANG ! ,,,

ME DIRAS-TU, MON BRAVE, LE NOM DE TON VILLAGE ?

J,,, JE S,,, SUIS DE SATSUMO ,,,

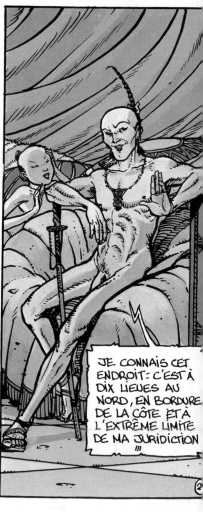

JE CONNAIS CET ENDROIT : C'EST À DIX LIEUES AU NORD, EN BORDURE DE LA CÔTE ET À L'EXTRÊME LIMITE DE MA JURIDICTION ,,,

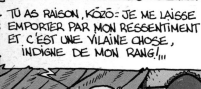

③

TRÈS BIEN. RASSEMBLE TOUS LES SAMURAÏS EN ARMES! JE VEUX QUE NOUS PARTIONS AUX PREMIÈRES HEURES DU BOEUF! ,,, (1)

NOUS ATTAQUERONS CE **TIGRE** À L'HEURE QUI LUI CONVIENT! ,,, (2)

OH! C'EST TOI, AHURI! OÙ DIABLE TE CACHAIS-TU ?

JE NE ME CACHAIS PAS, SEIGNEUR; J'AI COMBATTU POUR REPOUSSER CES PORCS PUANTS, JE SUIS UN PEU BLESSÉ MAIS C'EST SANS GRAVITÉ ,,,

JE TE TIENS POUR **RESPONSABLE** DE LEUR INTRUSION !!

MAIS... MAIS JE N'ÉTAIS PAS DE GARDE! ,,,

TOUT SAMURAÏ EST RESPONSABLE DE LA QUIÉTUDE DE SON SUZERAIN!

MAIS J'AI TUÉ DEUX DE CES COQUINS! ,,,

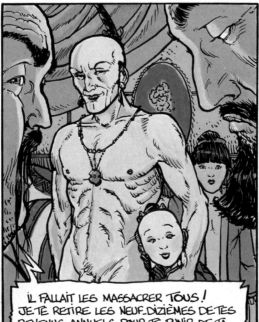

IL FALLAIT LES MASSACRER TOUS! JE TE RETIRE LES NEUF-DIZIÈMES DE TES REVENUS ANNUELS POUR TE PUNIR DE TA BÊTISE. TU AS L'INTERDICTION DE TE FAIRE SEPPUKU ET TU CONTINUERAS DE SERVIR SIRE KÔZÔ COMME SIMPLE DOMESTIQUE!

À GENOUX, VER DE TERRE!

1) ENTRE 1 ET 3 HEURES DU MATIN.
2) L'HEURE DU TIGRE SE SITUE ENTRE 3 ET 5 HEURES.

㉑

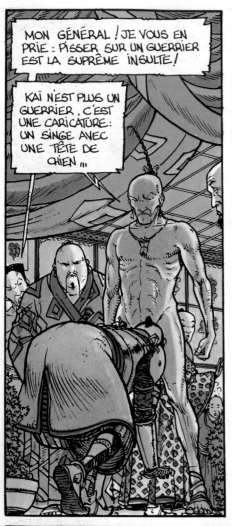

MON GÉNÉRAL ! JE VOUS EN PRIE : PISSER SUR UN GUERRIER EST LA SUPRÊME INSULTE !

KAÏ N'EST PLUS UN GUERRIER. C'EST UNE CARICATURE : UN SINGE AVEC UNE TÊTE DE CHIEN ...

... ET LES CHIENS BOIVENT L'URINE DE L'HOMME ...

SEIGNEUR OSHIKAGA, JE NE DOUTE PAS QUE VOTRE GÉNÉRAL KÔZÔ SOIT UN HOMME TRÈS SPIRITUEL MAIS SON HUMOUR EST TROP SUBTIL POUR MA SIMPLE COMPRÉHENSION ...

J'AI VISIBLEMENT CESSÉ DE VOUS ÊTRE UTILE ET JE ME SENS TRÈS FATIGUÉ. ACCORDEZ-MOI LA PERMISSION DE ME RASER LA TÊTE POUR DEVENIR MOINE.

TU N'EN FERAS RIEN !

J'AI ENCORE BESOIN DE TES DEUX BRAS DOCILES POUR CHÂTIER LA VERMINE QUI EST ENTRÉE ICI ...

ET MAINTENANT, TAIS-TOI !. DÉBARRASSE MON PLANCHER DE CETTE VIANDE AVANT QU'ELLE AIT FINI DE SOUILLER MES COUSSINS ...

JE N'AI JAMAIS PU SUPPORTER LE NÉGLIGÉ !

ADAMOV 22

NE T'AGITE PAS, MIZU: TU ES EN SÛRETÉ ICI, DANS MA CABANE. TU POURRAS Y RESTER LE TEMPS QUE TU VOUDRAS...

QUE M'EST-IL ARRIVÉ?

TU AS VOULU MOURIR MAIS LA MORT T'A REFUSÉ. PEU D'HOMMES PEUVENT SE VANTER D'AVOIR AUTANT DE CHANCE!...

EST-CE UNE CHANCE, VRAIMENT? J'AI LA TÊTE PLEINE DE VENT. JE SUIS COMME UN FANTÔME...

PAS UN FANTÔME, MIZU: TU ES COMME UN HOMME NEUF...

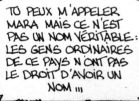

... COMME UN ENFANT À NAÎTRE...

ET TOI, QUEL EST TON NOM?

TU PEUX M'APPELER MARA MAIS CE N'EST PAS UN NOM VÉRITABLE: LES GENS ORDINAIRES DE CE PAYS N'ONT PAS LE DROIT D'AVOIR UN NOM...

LES TRAVAILLEURS PORTENT LE NOM DE LEUR MÉTIER ET LES PROSTITUÉES SE PRÊTENT DES NOMS DE FLEURS, DE NUAGES OU D'ÉTOILES POUR ATTIRER LES HOMMES. SEULS LES NOBLES ONT UN NOM!...

JE... JE CROIS... IL ME SEMBLE QUE J'ÉTAIS L'UN D'ENTRE EUX...

POURQUOI ES-TU SI SALE?

JE TE DEMANDE PARDON...

IL Y A BIEN LONGTEMPS, QUAND J'ÉTAIS ENCORE BELLE, J'HABITAIS UN GRAND RI (1), TRÈS LOIN, SUR LA CÔTE EST. MON MARI ÉTAIT IVRE DU MATIN JUSQU'AU SOIR...

(1) VILLAGE.

23

IL BATTAIT MON BÉBÉ, ALORS, JE L'AI QUITTÉ. J'AI TUÉ SON HONNEUR. JE N'AI JAMAIS VOULU FAIRE AMENDE HONORABLE ...

LE CONSEIL DES ANCIENS M'A DÉCLARÉE HININ : IL M'A EXCLUE DE LA COMMUNAUTÉ DES HOMMES ET IL M'A FAIT MARQUER AU FER ROUGE, COMME CECI ! ...

À PRÉSENT, JE NE SUIS PLUS UNE FEMME VÉRITABLE. JE SUIS UNE NON-HUMAINE : UNE MARÂHACHIBU. JE SUIS OBLIGÉE DE RESTER VIVRE À L'ÉCART DES AUTRES KÔOTSUNINS ...

ET IL M'EST INTERDIT DE CULTIVER LA TERRE ET DE PARTICIPER AUX TRAVAUX ORDINAIRES ET AUX FÊTES DES VILLAGES ...

POURTANT, IL Y AVAIT UN HOMME À TON CÔTÉ. C'ÉTAIT UN MOINE SHINTÔ ? ...

JE VOUS AI ENTENDUS COPULER COMME DES BÊTES ...

ODA EST REPARTI AU MILIEU DE LA NUIT. IL EST REDESCENDU DORMIR À SATSUMO POUR REPRENDRE DES FORCES ...

DEMAIN EST UN GRAND JOUR. C'EST TAROTSUITACHI : LE DÉBUT DU PRINTEMPS ...

CE JOUR-LÀ, LES KAMIS[(1)] DES EAUX ET DES ROCHERS CHANGENT DE PLACE POUR CÉLÉBRER LA NOUVELLE ANNÉE ...

PERSONNE N'OSE SE PROMENER DANS LA MONTAGNE NI SE BAIGNER DANS LES RIVIÈRES OU DANS LA MER ...

BAH ! TOUT ÇA, CE NE SONT QUE DES SUPERSTITIONS ! DES HISTOIRES DE BONNES FEMMES ! ...

(1) (ESPRITS SACRÉS)

24

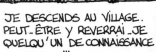

JE DESCENDS AU VILLAGE.
PEUT-ÊTRE Y REVERRAI-JE
QUELQU'UN DE CONNAISSANCE
,,,

LAISSE-MOI TRANQUILLE,
SORCIÈRE ! LA FIÈVRE
M'A QUITTÉ. JE SENS
LA VIE QUI BAT À NOUVEAU
SOUS MA PEAU MAIS MON
CRÂNE RESTE VIDE ET JE
VEUX LE REMPLIR ,,,

JE NE SUIS PAS
SÛR DE POUVOIR
TE FAIRE CONFIANCE
,,,

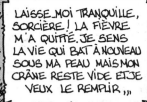

MAIS C'EST
DE LA
FOLIE ! ,,,
TU N'ES PAS
EN ÉTAT ,,,

JE NE SUIS PAS
CERTAIN DE
M'APPELER
"MIZU" ! ,,,

TU CROIS
QU'IL
REVIENDRA
?

JE NE SAIS PAS,
MAMAN ,,, MAIS JE NE
COMPRENDS PAS POUR-
QUOI TU TIENS SI FORT
À NOUS L'ACCAPARER
,,,

25

CET HOMME EST DANGEREUX. IL S'APPELAIT TCHEN QIN ET IL ÉTAIT LE MEILLEUR SAMURAÏ DE GUERRE DE SIRE OSHIKAGA ,,,

SON VISAGE EST CONNU DE CEUX DE SON ESPÈCE ,,,

SES AMIS CAVALIERS PEUVENT REVENIR LE PRENDRE ,,,

ILS NOUS TUERONT SANS DOUTE POUR NOUS PUNIR D'AVOIR OSÉ LE PROFANER ,,,

MIZU ÉTAIT PERDU QUAND NOUS L'AVONS TROUVÉ. C'EST MOI QUI L'AI PANSÉ. C'EST MOI QUI L'AI GUÉRI. JE NE VEUX PLUS LE RENDRE ,,,

SI JAMAIS IL REVIENT, NOUS PARTIRONS D'ICI. NOUS NOUS CACHERONS BIEN ,,,

26

JE SUIS PIMIKO ZU, JE VEUX M'ENTRETENIR AVEC MAÎTRE NICHIREN. JE SAIS QU'IL EST ICI ET QU'IL A L'HABITUDE DE SE LEVER TRÈS TÔT !...

OUI, CERTES ,,, MAIS ,,, EUH ,,, JE CRAINS QU'IL NE VOUS FAILLE ATTENDRE ,,,

NOTRE FRÈRE SUPÉRIEUR EST EN MÉDITATION ,,,

ET MOI, J'AI CHEVAU- CHÉ TOUTE LA NUIT SUR DES SENTIERS DE MONTAGNE AU RISQUE DE M'Y CASSER LE COU ET TOUT LE RESTE ,,,

27

CET EXPLOIT MÉRITE UNE ENTORSE À L'ÉTIQUETTE ! ...

JE ... NOUS SOMMES DÉSOLÉS MAIS LES RÈGLES SONT FORMELLES ...

ON NE PASSE PAS !

BONJOUR, JOLIE POUPÉE. J'AI EU UN SONGE, CETTE NUIT. J'AI SU QUE TU VIENDRAIS ...

JE TE DEMANDE PARDON : J'AI DÛ FORCER TES GARDES QUI PRÉTENDAIENT VOULOIR M'INTERDIRE TON AUDIENCE ...

JE CRAINS DE LES AVOIR UN PEU ENDOMMAGÉS ...

CE N'EST GUÈRE TRÈS COURTOIS MAIS COMMENT T'EN VOULOIR ?

LA MORT DE CES NIGAUDS ÉTAIT SÛREMENT PRÉVUE DE TOUTE ÉTERNITÉ DANS LE LIVRE DU KARMA ...

" GRÂCE À TOI, ILS RENAÎTRONT DANS UNE AUTRE VIE, À UN NIVEAU PLUS NOBLE DE LEUR RÉALITÉ ...

ET, MAINTENANT, DIS-MOI : QU'ES-TU VENUE CHERCHER SI HAUT, DANS MON NID D'AIGLE ?

TU CONNAIS LA RÉPONSE ...

28

TOUJOURS CETTE OBSESSION ?

OUI, VIEUX BOUC. JE REGRETTE MAIS C'EST PLUS FORT QUE MOI : TCHEN EST INDISPENSABLE À MON HARMONIE...

MON AMOUR N'EST PAS MORT ET JE LE REJOINDRAI POUR MARCHER DANS SES TRACES...

... ET, QUAND UN JOUR PROCHAIN, IL DEVIENDRA UN DIEU, QUAND IL RENCONTRERA LE BUDDHA RAYONNANT, JE LE SUIVRAI ENCORE...

J'AIME SES YEUX ET SA VOIX ET LA GRÂCE DE SES GESTES. LA FAÇON DONT IL AIME... LA FAÇON DONT IL TUE...

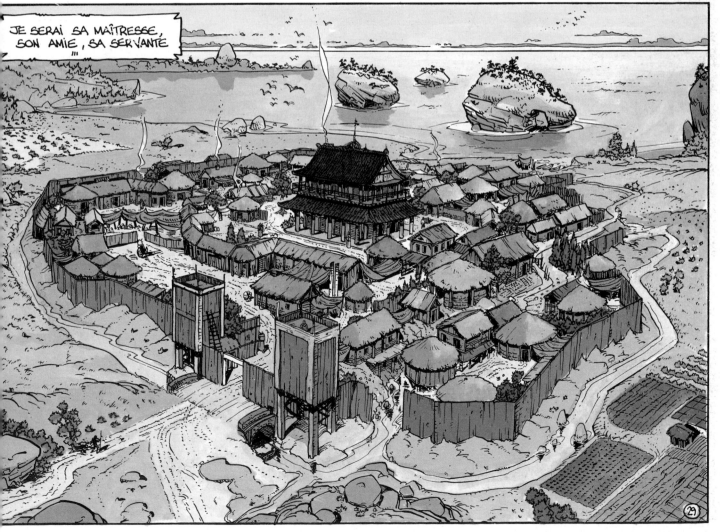

JE SERAI SA MAÎTRESSE, SON AMIE, SA SERVANTE...

29

HOLÀ, QUI VIVE ? TON NOM ?

JE NE SUIS SÛR DE RIEN MAIS JE DÉSIRE PARLER À VOTRE MOINE ODA. IL ME CONNAÎT DÉJÀ...

ODA !? IL EST LÀ-BAS AVEC NOTRE DOGO ![1] PRÈS DU PONT DU MOULIN...

ILS SE SONT LEVÉS TRÈS TÔT POUR PRÉPARER LA FÊTE...

ODA SAN ?

OH ! C'EST TOI, TÊTE BRÛLÉE ! ... JE NE M'ATTENDAIS PAS À TE REVOIR SI VITE ! ...

JE TE PRÉSENTE WAKO, LE DOGO DE CE VILLAGE...

ODA M'A RACONTÉ LE PEU QU'IL SAIT DE VOUS ET DE VOTRE IRRUPTION DANS LA VIE DE MARA. MES FÉLICITATIONS ! ...

!?

MARA EST UNE PERSONNE CHARMANTE À TOUS POINTS DE VUE, ET JE TROUVE AFFLIGEANT QUE SES MAUVAISES ACTIONS D'UNE ÉPOQUE RÉVOLUE LA CONTRAIGNENT À SURVIVRE À L'ÉCART DE NOS FEUX...

QUEL DOMMAGE QUE LES VILLAGEOIS DE SATSUMO SOIENT AUSSI ENRACINÉS DANS LES ANCIENNES COUTUMES ! ...

LES COUTUMES SONT DICTÉES PAR LA NÉCESSITÉ. IL FAUT LES RESPECTER, QU'ELLES SOIENT BONNES OU MAUVAISES ! ...

(1) LE PLUS RICHE PROPRIÉTAIRE D'UN VILLAGE ET Y FAISANT OFFICE DE "MAIRE".

③

HÉ !? TU T'EXPRIMES PLUTÔT BIEN POUR UN AMNÉSIQUE !,,, MAIS JE NE SUIS PAS D'ACCORD AVEC TES IDÉES ,,,

PENSEZ-VOUS QUE JE SOIS UN HININ COMME MARA ?

NON, J'IMAGINE QUE NON : TON CORPS N'A PAS ÉTÉ MARQUÉ PAR LE FER ROUGE ET TU ES TROP BIEN FAIT POUR AVOIR JAMAIS SUPPORTÉ LES PRIVATIONS,,,

DONC, JE SUIS UN HOMME LIBRE !! ,,,

TOUS LES HUMAINS SONT LIBRES, TÊTE FOLLE ! ,,,, MÊME LES HININS !! ,,,

L'INTERDICTION D'ALIÉNER LES PERSONNES A MAINTES FOIS ÉTÉ RÉPÉTÉE DANS LES NOUVELLES LOIS PROMULGUÉES PAR L'EMPEREUR TOKIMUNÉ ET PAR MANDEMENT DU KANTÔ ,,,,

POURTANT, À L'ÉPOQUE DE LA FAMINE DE L'ÈRE KANKI (1), IL EN FUT QUI VENDAIENT LEURS DESCENDANTS, D'AUTRES QUI CÉDAIENT LEURS DROITS SUR LEUR DOMESTICITÉ POUR SAUVER LEURS PROPRES ESTOMACS ! ,,,

INTERDIRE L'ESCLAVAGE N'EUT ALORS ABOUTI QU'À FAIRE SOUFFRIR CES GENS DAVANTAGE, AUSSI, AUCUNE MESURE NE FUT-ELLE PRISE, OFFICIELLEMENT ,,,

C'EST EXACT, MIZU. TU ES AUSSI SAVANT QUE TA LANGUE A DE L'APLOMB, MALGRÉ QUE TU PRÉTENDES AVOIR LA CERVELLE VIDE ! CES ÉVÉNEMENTS REMONTENT À PLUS D'UN DEMI SIÈCLE ,,,,

31

1229. 1232.

MAINTENANT QUE LA SITUATION DU PAYS EST REDEVENUE NORMALE, IL Y EN A ENCORE QUI ENFREIGNENT CETTE INTERDICTION ///

C'EST TRÈS DÉRAISONNABLE ET, DÉSORMAIS, ON DOIT ARRÊTER LE MOUVEMENT ///

COCORIIICOCO RIII !

JE ME SENS BIEN, ICI, JE NE VEUX PLUS RE- TOURNER VIVRE AVEC CETTE FEMME. JE VEUX CONTINUER DE PARLER AVEC VOUS ! ///

COCORIIICOCORIII !

LES ENFANTS SONT NOMBREUX. JE POURRAIS VOUS AIDER À LEUR APPRENDRE À LIRE ///

TU SAIS DONC LIRE TOI -MÊME!?

OUI ODA. ET ÉCRIRE ! /// MAIS J'IGNORE D'OÙ ME VIENT TOUTE CETTE ÉRUDITION ///

PEUT-ÊTRE QUE J'ÉTAIS UN RELIGIEUX COMME VOUS !?!?

NON MIZU, JE LE DÉPLORE: SI TU CONNAISSAIS DIEU, TU CONNAÎTRAIS LES HOMMES. TU N'AURAIS PAS AUTANT DE MÉPRIS POUR MARA ET TU RETOURNERAIS DORMIR À SON CÔTÉ POUR LUI TÉMOIGNER UN PEU DE TA GRATITUDE ///

MAIS MARA EST UNE GARCE ! UNE PROSTITUÉE !! ///

IL FAUT QU'ELLE SE DÉBROUILLE ///

AVANT D'APPRENDRE À LIRE AUX FILS DE PAYSANS, TU FERAIS MIEUX D'APPRENDRE À COMPTER TES AMIS !!!

CECI EST UN VILLAGE, MIZU, PAS UN MONASTÈRE. LES GAMINS N'ONT BESOIN QUE DE SAVOIR FAIRE POUSSER LE RIZ ET COUDRE LES FILETS, PÊCHER CONVE-NABLEMENT ET HONORER LES DIEUX ET LES LOIS ESSENTIELLES INVENTÉES PAR LES HOMMES !!!

LES LOIS SONT DURES MAIS BÉNÉFIQUES AU PAYSAN À QUI ELLES LAISSENT LA LIBERTÉ DE VENDRE SA TERRE ET ACCORDENT LE SOUTIEN D'UNE JUSTICE ATTENTIVE À LE PROTÉGER !!!

ET PUIS, DE TOUTE MANIÈRE, TA PLACE N'EST PAS ICI ! !!

QUI EST LE RESPONSABLE DE CE NID DE VIPÈRES ?

C'EST MOI, SEIGNEUR DAIMYÔ. JE SUIS WAKÔ IMAMURA. POURQUOI AVEZ-VOUS SORTI VOS LAMES DES FOURREAUX ?

JE SUIS VENU LAVER L'AFFRONT DU TIGRE !

JE N'AI VU AUCUN TIGRE. LES GENS DE CE VILLAGE NE SONT PAS RESPONSABLES DES ENNUIS QUE VOUS A CAUSÉS CETTE CRÉATURE. ILS SONT DES BONGES HONNÊTES.

MAUDITE TÊTE BLANCHE, TU MENS !

NON SIRE, JE NE MENS PAS : JE SUIS JI-SAMURAÏ. VOUS N'AVEZ PAS LE DROIT DE DOUTER DE MA PAROLE !

J'AI TOUS LES DROITS, VIEUX RAT ! ,,,

NON SIRE : PAS TOUS LES DROITS. LES KOÔTBUNINS ONT CESSÉ D'ÊTRE VOS ESCLAVES PAR DÉCRETS OFFICIELS. ODA M'A EXPLIQUÉ ,,,

TOUT HOMME DE CE PAYS, TOUTE FEMME, EST RESPONSABLE DE SES ACTIONS À L'ÉGARD DE LUI-MÊME ET DE SON CLAN ,,,

CHAQUE CHEF DE CE CLAN A LE DROIT D'APPLIQUER DES SANCTIONS AUX MEMBRES DE SA MAISON ET À SES SERVITEURS S'ILS ONT DÉMÉRITÉ ,,,

,,, MAIS IL DOIT SE GARDER DE LES BATTRE EN PUBLIC OU DE LES INJURIER, AINSI QUE VOUS LE FAITES ! ,,,

LA JUSTICE RENDUE PAR UN DAIMYÔ DOIT SE CONFORMER AUX PRÉCEPTES ÉNONCÉS PAR L'EMPEREUR TOKIMUNÉ ET LE SHÔGUN KORÉYASU DU BAFUKU DE KAMAKURA. ET SURTOUT À CEUX CONTENUS DANS LE GOSEIBAI SHIKIMOKO

ASSEZ WAKO ! TU EN FAIS TROP... TU PERDS LA TÊTE ...

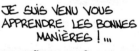

PRÉCISÉMENT !

CE BABOIN S'IMAGINAIT PLUS GRAND QUE SON MAÎTRE, ET LE PLUS INTELLIGENT. MAIS C'ÉTAIT UNE ERREUR: LE VOILÀ RAMENÉ À SES VRAIES DIMENSIONS !

C'EST TOUJOURS LE PROBLÈME AVEC VOUS AUTRES, BONGES, VOUS NE SAVEZ PAS VOUS TENIR CONVENABLEMENT...

JE SUIS VENU VOUS APPRENDRE LES BONNES MANIÈRES ! ...

③⑤

HOLÀ, PETIT BONHOMME !?...

SI TU COURS AUSSI VITE, C'EST QUE TU AS DES CRIMES À TE FAIRE PARDONNER !...

C'EST TOI, LE TIGRE ! ALLONS, AVOUE !! ...

MAIS... MAIS... MAIS...

MAIS... MAIS... MAIS...

?!...

VOTRE SUBLIMITÉ ? NOUS N'AVONS RIEN TROUVÉ QUI RESSEMBLE À UN TIGRE...

SEULEMENT DES VIEILLARDS, DES FEMMES ET DES ENFANTS...

JE VOUS DEMANDE PARDON, SEIGNEUR OSHIKAGA: JE ME SUIS TOUJOURS PRÊTÉ À VOS FANTAISIES. VOUS VOUS ÊTES SERVI DE MOI COMME D'UNE MARIONN- ETTE MAIS, CETTE FOIS, C'EN EST TROP.

VRAIMENT, JE N'EN PEUX PLUS. MON HARMONIE EST MORTE. TOUT EST TUÉ EN MOI. VOS PLAISIRS VÉNÉNEUX ME SONT DEVENUS ODIEUX...

TU DÉSAPPROUVES CES MORTS ?

OUI, SEIGNEUR : CE MASSACRE ÉTAIT UNE PURE FOLIE...

CES PAUVRES GENS PÊCHAIENT ET FAISAIENT POUSSER LE RIZ NÉCES- SAIRE À NOS VIES ET À VOTRE GRENIER. ILS ÉTAIENT INNOCENTS ...

LES MISÉRABLES QUI ONT OSÉ VOUS ATTAQUER ÉTAIENT BIEN TROP MALINS POUR N'ÊTRE QUE DES BONGES. NOUS AVONS EU AFFAIRE À DES PROFES- SIONNELS : DES SAMURAÏS RONINS(*) OU DES GUER- RIERS NINJAS; DES TUEURS MERCENAIRES DE LA SECTE D'AMIDA TONG! ...

CA NE TIENT PAS DEBOUT: IL N'Y A PAS DE NINJAS DANS MON ÎLE SADO ... ET ENCORE MOINS DE FANATIQUES D'AMIDA TONG! ...

IL N'Y AVAIT PAS NON PLUS DE "TIGRE". "QUELQU'UN" LES A FAIT VENIR ...

C'EST COMPLÈTEMENT IDIOT! QUI AURAIT INTÉRÊT? QUI SERAIT ASSEZ RICHE? ...

ET MAINTENANT, SILENCE! JE VEUX ME CONCENTRER SUR LES ARBRES, SUR LE CIEL ...

J'AI BESOIN DE MES FORCES POUR PROFITER PLEINEMENT DE LA CARESSE DU VENT ...

... POUR RESPIRER EN PAIX LE PARFUM DE LA MER ...

JE ME SENS PARVENU À UN DEGRÉ DE SENSUALITÉ INEXPRIMABLE. JAMAIS JE N'AI ÉTÉ AUSSI PRO- CHE DE L'ESSENCE MÊME DES CHOSES ET DES ÊTRES ...

(39)

: SAMURAÏS VAGABONDS LOUÉS AU PLUS OFFRANT.

TOSHI ?... JE VIENS DE VOIR LE SPECTRE DE TCHEN QIN !...

J'AI MÊME PU ARRACHER QUELQUES-UNS DE SES CHEVEUX !...

CE N'ÉTAIT PAS TCHEN-QIN !...

TCHEN QIN OU SON FANTÔME T'AURAIT D'ABORD FLANQUÉ SON POING SUR LA FIGURE !...

MAIS POURTANT... JE T'ASSURE...

11

ASSEZ SUR CE SUJET! JE VAIS FINIR PAR CROIRE QUE TU ES AUSSI BÊTE QUE LE PRÉTEND NOTRE SEIGNEUR OSHIKAGA...

LE CIEL EST EN COLÈRE, VIEUX BOUC: LES DIEUX SONT LAS DE LA FOLIE DES HOMMES...

NON, PIMIKO: LES DIEUX SONT BEAUCOUP TROP FUGACES POUR SE PRÉOCCUPER DE NOS INTEMPÉRIES...

ILS N'ONT D'AUTRE EXISTENCE QUE CELLE QUE NOUS NOUS PLAISONS À IMAGINER. LEURS NOMS SONT PASSAGERS COMME LE SONT NOS PROPRES NOMS...

LES DIEUX ET LES DÉESSES NE SONT QUE DES SYMBOLES DES MANIFESTATIONS DE LA SACRALITÉ DE L'UNIVERS VISIBLE ET DU MONDE DE L'AU-DELÀ...

LES DIEUX ET LES DÉESSES NE SONT PAS DES EXEMPLES. LES STATUES QU'ON LEUR DRESSE NE SONT PAS LÀ POUR QUE L'ESPRIT DE L'HOMME NE FASSE QUE S'ÉLEVER JUSQU'À ELLES MAIS POUR QU'IL LES DÉPASSE!

LES DOGMES THÉOLOGIQUES LES PLUS CHARGÉS DE SENS NE SONT TOUS QUE DES RUSES PÉDAGOGIQUES DONT LA FONCTION EST DE DÉGAGER L'ESPRIT DE LA LOURDEUR DES FAITS...

"... POUR LE CONDUIRE DANS UN MONDE PLUS SUBTIL QUI RESSEMBLE À UN RÊVE D'ENFANT ..."

JE NE SUIS PAS MONTÉE JUSQU'ICI POUR ÉCOUTER TES BONIMENTS! TCHEN QIN EST PLUS PUISSANT QUE TA PHILOSOPHIE! ...

DIS-MOI OÙ IL SE CACHE! ...

JE REGRETTE, PIMIKO: TCHEN QIN N'EST PLUS NULLE PART DANS LE MONDE DES VIVANTS ...

TCHEN QIN S'EN EST ALLÉ SUR LE CHEMIN DES MORTS, VERS D'AUTRES HORIZONS ...

À QUOI BON T'OBSTINER DANS TON ERRANCE, FILLETTE? LES ÊTRES, COMME LES CHOSES, N'ONT AUCUNE IMPORTANCE ...

LES ÊTRES, COMME LES CHOSES, SONT DES COMPROMIS VIDES DE PRINCIPE PERSONNEL, QUI SE TRANSFORMENT SANS CESSE ...

NOS EXISTENCES RESSEMBLENT À DES GOUTTES DE ROSÉE DANS DES GOUTTES DE ROSÉE ...

CE QUI COMPTE, C'EST LA FERTILITÉ DE L'EAU ET DE LA TERRE ...

43

,,,LA LUMIÈRE IRRADIÉE PAR L'ÉCLAT DE LA FOUDRE ,,,,

C'EST L'ILLUMINATION DU SAGE ET DU GUERRIER.

CE NE SONT PAS LES DIEUX QUE LES HÉROS RECHERCHENT, PIMIKO, MAIS LEUR GRÂCE : LA FORCE QUI LES SOUTIENT,,,

MIZU!?,,,JE N'ESPÉRAIS PAS TE REVOIR SI VITE ! QU'EST-CE QUI EST ARRIVÉ ?

J'AI VU DES SAMURAÏS ATTAQUER LE VILLAGE ,,,

SATSUMO N'EST PLUS QU'UN TAS DE DÉCOMBRES FUMANTS. POURQUOI, MARA, POURQUOI ?

LES SAMURAÏS SONT TRÈS DIFFÉRENTS DE NOUS, MIZU : ILS RAISONNENT AUTREMENT ,,,.

LES SAMURAÏS S'IMAGINENT, PAR EXEMPLE, QUE NOS VIES N'ONT AUCUNE VALEUR. POUR EUX, NOUS SOMMES DES ANIMAUX, DU BÉTAIL NÉ POUR LES SERVIR ,,,

44

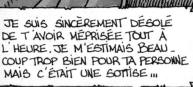JE SUIS SINCÈREMENT DÉSOLÉ DE T'AVOIR MÉPRISÉE TOUT À L'HEURE. JE M'ESTIMAIS BEAU_ COUP TROP BIEN POUR TA PERSONNE MAIS C'ÉTAIT UNE SOTTISE ...

JE N'AVAIS PAS COMPRIS **QUI** TU ÉTAIS VRAIMENT. JE N'AVAIS PAS COMPRIS LE COURAGE QU'IL FAUT POUR DEVENIR UNE PUTAIN ...

TU N'AS PAS BESOIN DE PRÉSENTER DES EXCUSES. LES HOMMES NE S'EXCUSENT PAS AUPRÈS DES FEMMES. JAMAIS !

TOUT CE QU'ILS FONT EST BIEN ...

... C'EST DU MOINS CE QUE NOUS, LES FEMMES, AVONS APPRIS ...

.. CE QUE NOUS DEVONS CROIRE, SOUS PEINE D'ÊTRE BATTUES...

JE NE SUIS PAS UN HOMME, MARA : J'AI DÉCOUVERT QUE JE SUIS UN LAPIN ...

J'AI VU LE SANG COULER EN BAS, DANS LA VALLÉE ; J'AI VU DES FEMMES VIOLÉES, DES ENFANTS EMPALÉS, DES VIEILLARDS CRUCIFIÉS ! ... ET JE ME SUIS ENFUI ...

TU AS SAUVÉ ODA ...

CE N'EST PAS SUFFISANT.

IL Y A QUELQUES TEMPS, HIER, AVANT-HIER, DANS LES BRUMES DE MA TÊTE OU DANS UNE AUTRE VIE, J'AI AIMÉ UNE PUTAIN ... JE NE SAIS PLUS SON NOM ...

ELLE ÉTAIT TRÈS JOLIE ET ELLE TE RESSEMBLAIT ...

TCHEN EST MORT, PIMIKO ...

45

COTHIAS · ADAMOV

LE VENT DES DIEUX

Lapin-tigre

——— TOME 4 ———

Glénat

L'ÎLE SADO.
L'HEURE DU TIGRE (*)

LE SIRE OSHIKAGA A REJOINT SON MANOIR AVEC LE GROS DES TROUPES. IL NOUS A LAISSÉS SEULS POUR CHÂTIER LES BRIGANDS DE CE MYSTÉRIEUX **TIGRE** !!!

LES GENS DE SATSUMO N'ÉTAIENT PAS RESPONSABLES DES CRIMES DE CES REBELLES.

ILS N'AVAIENT QUE LEURS POINGS À OPPOSER AUX SABRES. IL N'Y A PAS D'HONNEUR À TUER DE CETTE MANIÈRE !!!

NOUS N'AVONS PAS À JUGER DU BIEN ET DU MAL DE NOS ACTES, TOSHI. JE TE L'AI DÉJÀ DIT !!!

NOUS SOMMES DES **SAMURAÏS**. NOTRE FONCTION EST DE SERVIR NOTRE SEIGNEUR ET D'OBÉIR AUX ORDRES DU GÉNÉRAL EN CHEF QU'IL NOUS A DÉSIGNÉ !!!

KOZO EST TROP RUSÉ POUR N'ÊTRE QU'UN OUTIL DU SIRE OSHIKAGA. IL SE BAT POUR SON COMPTE. C'EST UN CHIEN ENRAGÉ ! !!!

PRENDS GARDE, TOSHI, MON FRÈRE.; LES CHIENS ONT L'OUÏE FINE ! !!!

ENTRE 15 ET 17 HEURES.

①

JE N'AI RIEN À CACHER. KOZO SAIT PARFAITEMENT LA MAUVAISE OPINION QUE J'AI DE SA PERSONNE !!!

IL CONNAÎT BIEN NOTRE ANTIPATHIE RÉCIPROQUE ET IL M'A INTERDIT D'ABUSER DE MON TITRE POUR TE COUPER LA TÊTE SANS FORME DE PROCÈS. POURTANT, TON ARROGANCE ME PLACE DANS UNE SITUATION EMBARRASSANTE !!!

POUR TE COUPER LA TÊTE SANS RISQUER DE TROUBLER L'HARMONIE DU SEIGNEUR, JE N'AI QU'UNE SEULE RESSOURCE : M'AFFRONTER AVEC TOI EN COMBAT SINGULIER !!!

TU AS RAISON, TOSHI, ET TU PEUX PARLER HAUT : DEPUIS LA MORT DE QIN, TU ES DEVENU LE SAMU- RAÏ PRÉFÉRÉ DE SIRE OSHIKAGA !!!

TU N'ES PAS OBLI- GÉ DE TE SENTIR INSULTÉ PAR LA VÉRITÉ. LA VÉRITÉ NE BLESSE QUE QUI VEUT BIEN Y CROIRE !!!

ET PUIS, NOTRE DUEL RISQUE- RAIT D'ENFLAMMER NOS AMIS PERSONNELS EN LES JETANT PÊLE-MÊLE LES UNS CONTRE LES AUTRES. JE NE VEUX PAS ME BATTRE CONTRE TOI, KOZO. JE TE FAIS MES EXCUSES !!!

TU ES MALIN, TOSHI, OUI ! PRESQU'AUTANT QUE MOI ! QUEL DOMMAGE QUE NOUS N'AYONS PAS LES MÊMES IDÉES ! JE T'OFFRE MON PARDON ET, POUR FAIRE BONNE MESURE,

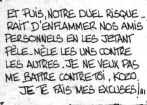

!!! JE TE CONFIE DIX HOMMES ET CE BENÊT DE KAÏ. VOTRE MISSION EST DE TROUVER LES HORS-LA-LOI ET DE ME RAP- PORTER LEURS TÊTES. VOUS FOUILLEREZ LA MONTAGNE, PRÈS DU PONT DU TORRENT OÙ NOUS AVONS SUBI LA PREMIÈRE EMBUSCADE. !!! (*)

QUANT À MOI, JE M'EN VAIS CHERCHER PRÈS DU RIVAGE. À TRÈS BIENTÔT, TOSHI ! !

(*) VOIR LE SANG DE LA LUNE.

ET QUE LE MEILLEUR GAGNE!!!

AU MÊME INSTANT, UN PEU PLUS HAUT DANS LA MONTAGNE!!!

PARLE-MOI DE MARA!!!

JE T'AI DÉJA RACONTÉ CENT FOIS SON HISTOIRE: ELLE A ÉTÉ JADIS MARIÉE CONTRE SON GRÉ À UN VIEILLARD TRÈS RICHE QUI LA ROUAIT DE COUPS!!!

MARA A TOUJOURS EU UN FICHU CARACTÈRE. ELLE PENSAIT QUE LA VIE PEUT DONNER DU PLAISIR. ELLE A VOULU LE PRENDRE DANS LE LIT D'UN AMANT ET C'EST LE PIRE DES CRIMES POUR UNE FEMME JAPONAISE QUI N'A PAS EU LA CHANCE DE NAÎTRE COURTISANE OU FILLE DE SAMURAÏ!!!

C'ÉTAIT SON DROIT, JE PENSE: UN HOMME DE CE PAYS EST LE MAÎTRE CHEZ LUI!!!

TU ES ÉTRANGE, MIZU, TU AS TOUT OUBLIÉ DES CHOSES DE TON PASSÉ HORMIS LES PLUS MAUVAISES!!!

IL PEUT BATTRE SA FEMME SI ELLE NE SAIT PAS BIEN LUI TENIR SA MAISON, POURVU QU'IL SACHE LE FAIRE AVEC MODÉRATION!!!

CONTINUE TON HISTOIRE. JE FERAI ATTENTION DE NE PLUS D'INTERROMPRE!!!

MARA A ÉTÉ CONDAMNÉE AU BANISSEMENT ET MARQUÉE AU FER ROUGE. ON LUI A INTERDIT DE CULTIVER LA TERRE ET DE DRESSER SON TOIT PRÈS DES...

AUTRES VILLAGES HABITÉS PAR LES HOMMES!!!

3

MARA S'EN EST ALLÉE AVEC SES TROIS GARÇONS POUR LES SOUSTRAIRE À SON ÉPOUX QUI LES CROYAIT BÂTARDS.

... C'ÉTAIT UNE NUIT TERRIBLE ET, DE SES TROIS ENFANTS, UN SEUL A SURVÉCU: LE PLUS JEUNE, UN BÉBÉ QU'ELLE PORTAIT SUR SON SEIN. IL SE NOMME SEI ET IL A AUJOURD'HUI DIX ANS !!!

MARA S'EST INSTALLÉE ICI, DANS LA MONTAGNE. LES HOMMES DE SABUMO MONTAIENT LA VOIR SOUVENT EN CACHETTE DE LEURS FEMMES ET LUI OFFRAIENT DU RIZ OU UN PEU DE PAIN SEC CONTRE QUELQUES CARESSES !!!

... ET C'EST DE CETTE MANIÈRE QUE JE L'AI RENCONTRÉE. MAIS ELLE N'A JAMAIS SU RÉPONDRE À MON AMOUR AUTREMENT QU'AVEC LES FICELLES DE SON MÉTIER !!!

... JE CROYAIS QUE SON CŒUR ÉTAIT À TOUT JAMAIS FERMÉ À LA PASSION QUAND ELLE T'A DÉCOUVERT. ELLE A SOIGNÉ TES PLAIES COMME SI TON PEU DE VIE REPRÉSENTAIT POUR ELLE UN PRIX INESTIMABLE, PLUS GRAND QUE LE MÉPRIS QU'ELLE A POUR TOUS LES HOMMES ! !!!

ELLE A PRIÉ POUR TOI DES DIEUX ET DES DÉMONS AUXQUELS ELLE AVAIT DÉCIDÉ DE NE PLUS CROIRE. ELLE S'EST BATTUE LONGTEMPS POUR TE RESSUSCI- TER ET TU ES RESSORTI VIVANT DE TON ÉPREUVE (*) AVEC TON CORPS GUÉRI ET TA MÉMOIRE BRÛLÉE !!!

(*) VOIR LE VENTRE DU DRAGON

TU N'AVAIS PLUS DE NOM : ELLE T'A OFFERT CELUI DE LA RIVIÈRE : MIZU OU ELLE T'AVAIT PÊCHÉ. TU N'AVAIS PLUS D'ESPRIT : ELLE T'A DONNÉ SON ÂME ! JE NE COMPRENDS PAS CE QUE TU AS PU LUI FAIRE POUR LUI PLAIRE À CE POINT !!!

JE N'AI RIEN FAIT, ODA. JE N'ÉPROUVE AUCUNE JOIE À ÊTRE TON VAINQUEUR. S'IL ME RESTAIT UN TANT SOIT PEU DE DIGNITÉ, JE TE CÉDERAIS MA PLACE MAIS JE N'AI PLUS D'HONNEUR !!!

JE NE MÉRITE PAS MIEUX QUE L'AMOUR D'UNE PUTAIN !!!

?!!

JE SUIS DÉÇU, TOSHI : CES EXCUSES HYPOCRITES NE TE RESSEMBLENT PAS !!!

KOZO N'EST PAS MAN-CHOT ET L'ISSUE D'UNE RENCONTRE ENTRE NOS SABRES ÉTAIT TROP INCERTAINE POUR QUE JE PRENNE LE RISQUE D'Y PERDRE L'EXISTENCE !!!

UNE MORT HONORABLE EN COMBAT SINGULIER EST UNE FIN GLORIEUSE POUR UN VRAI SAMURAÏ !!!

NON, KAÏ, LA MORT N'EST JAMAIS UNE RÉCOMPENSE !!!

JE NE VEUX PAS QUE MA FIN SOIT UN GASPILLAGE !

⑤

. AU MÊME INSTANT, ENCORE PLUS HAUT, DANS LA MONTAGNE !!!

QU'ES TU VENUE CHERCHER CHEZ MOI, FIMIKO ZU ? JE N'AI À T'OFFRIR QUE CETTE SOUPE INSIPIDE ET LE POIDS DE MES ANNÉES

JE VEUX QUE TU M'APPRENNES À TUER MES PASSIONS POUR SÉDUIRE LE BUDDHA ET ME DONNER LA CHANCE DE RENAÎTRE PLUS TARD DANS UNE VIE MEILLEURE, AUX CÔTÉS DE TCHEN QIN !

TCHEN QIN ! TOUJOURS TCHEN QIN ! TU NE PEUX PAS PRONONCER PLUS DE TROIS MOTS SANS Y MÊLER CE NOM !

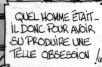

QUEL HOMME ÉTAIT-IL DONC POUR AVOIR SU PRODUIRE UNE TELLE OBSESSION !!!

IL ÉTAIT LE PLUS FORT DE TOUS LES SAMURAÏS DE SIRE OSHIKAGA . IL ÉTAIT RESPECTÉ PAR TOUS SES COMPAGNONS !!!

IL ÉTAIT MON AMANT ! SANS DOUTE REVIENDRA-T-IL SOUS LA FORME D'UN TIGRE . JE LE RECONNAÎTRAI DANS SON INCARNATION ET JE LE SÉDUIRAI . JE SERAI SA TIGRESSE !!!

TCHEN QIN ÉTAIT UN PAUVRE BOUGRE CRÉTIN SANS UNE ONCE DE CERVELLE ET JE LE VOIS PLUTÔT REVENIR À LA VIE !!!

JE SUIS INQUIÈTE, ODA . JE SENS LA MORT QUI RÔDE !!!

!!! SOUS L'ASPECT D'UNE TAUPE OU D'UN LAPIN ! !!!

6

TU AS TOUJOURS EU BEAUCOUP D'IMAGINATION!

LES SAMURAÏS QUI SONT PASSÉS PAR LÀ N'ÉTAIENT PAS LE FRUIT DE MON IMAGINATION!III

CEUX-LÀ AVAIENT DES ALLURES DE CHASSEURS DE TIGRE ET ILS S'EN SONT ALLÉS SANS SE SOUCIER DE NOUS III

III MAIS D'AUTRES LES SUIVRONT, BEAUCOUP MOINS EXIGEANTS QUANT AUX CHOIX DU GIBIER III

IL N'Y AURA BIENTÔT PLUS DE SÉCURITÉ NULLE PART DANS L'ÎLE SADO ET JE N'AI PLUS QU'UN FILS III

JE NE VEUX PAS LE PERDRE III

JE SAIS OÙ NOUS POURRIONS TROUVER UN ABRI SÛR, MAIS IL NOUS FAUDRAIT ACCOMPLIR UN DUR VOYAGE DE PLUSIEURS JOURS À PIED III

JE NE SUIS PAS ENCORE TOUT À FAIT REMIS DE CETTE MAUDITE BLESSURE. JE NE POURRAI JAMAIS MARCHER AUSSI LONGTEMPS! III

MIZU TE PORTERA. IL EST FORT COMME UN OURS! III

4

ET AUSSI PEU BAVARD! JE NE VOIS PAS POURQUOI IL S'EST DONNÉ LA PEINE DE ME SAUVER LA VIE! (*) JE CROIS QU'IL NE M'AIME GUÈRE !!!

JE CROIS QU'IL N'AIME PERSONNE !!!

QU'EN PENSES-TU, MIZU ?

JE NE PENSE RIEN, MARA : IL N'Y A QUE LES HOMMES QUI SONT HABILITÉS POUR PENSER QUELQUE CHOSE !!!

MOI, JE SUIS UN LAPIN !

NE DIS PAS SOTTISES ET ÉCOUTE-MOI, MIZU : TU N'ES PAS UN LAPIN. TU ES UN HOMME MALADE ET JE SUIS TON AMI !!!!

JE TE DOIS UNE VIE ET TU AURAS TOUJOURS DROIT À MA GRATITUDE...

UN HOMME N'A PAS DE GRATITUDE POUR UN LAPIN !

TU ES JALOUX, VIEUX BOUC! VOILÀ LA VÉRITÉ !!!

ET TOI, PETITE POUPÉE, TU ES BEAUCOUP TROP SOTTE POUR PRÉTENDRE POUVOIR ME DONNER DES LEÇONS...

ET SI TU VEUX JETER À TERRE TON BOL DE SOUPE, FAIS-LE DANS TA MAISON !!!

(*) VOIR L'HOMME OUBLIÉ.

"...TU ES VENUE CHEZ MOI SANS LA MOINDRE CONTRAINTE, ET PERSONNE NE PEUT T'OBLIGER À Y RESTER..MAIS TANT QUE TU ACCEPTERAS D'Y DEMEURER, IL FAUT QUE TU ADMETTES QUE JE SUIS LE SEUL MAÎTRE!.."

UNE DES PRINCIPALES TÂCHE DE MES DISCIPLES CONSISTE À VEILLER AUX BESOINS QUOTIDIENS DE MA VIE LITURGIQUE OU **PROFANE** !!!

L'EXEMPLE DU BUDDHA A CLAIREMENT DÉMONTRÉ QU'IL N'EXISTAIT NULLE PART AUCUN FRUIT DÉFENDU POUR CELUI QUI A LA VOLONTÉ D'AVANCER SUR LA VOIE PÉRILLEUSE, VERS LA VRAIE CONNAISSANCE, LE BIEN ET LE MAL SONT DES HOCHETS POUR ENFANTS !!!

TOUT N'EST QU'UNE QUESTION D'ATTITUDE INTELLIGENTE DEVANT LES FAITS !!!

TOUT SE RÉSUME À UN PROBLÈME DE DIGESTION !!!

⑨

JE TE REMERCIE POUR TOUTES CES EXPLICATIONS, TOSHI, MAIS JE NE SUIS PAS ENCORE CONVAINCU !!!

ÇA NE ME SURPREND PAS : TON CRÂNE EST TROP ÉPAIS POUR ÊTRE PERMÉABLE À MA CONVERSATION !!!

D'OÙ TE VIENT TANT DE HAINE ENVERS LE SIRE KOZO ?

JE LE TIENS RESPONSABLE DU MASSA_CRE DE TCHEN QIN ET DE NOS COMPAGNONS, PRÈS DU PONT DU TORRENT, ET JE VEUX CONSACRER LE RESTE DE MON TEMPS POUR PROUVER SA TRAÎTRISE !!!

C'EST TCHEN QIN QUI DÉCIDERA DU LIEU DE SON SUPPLICE ET DE SON HEURE LUI SEUL !! JE N'AI PAS LE DROIT DE LUI VOLER SON PLAISIR !!!

C'EST COMPLÈTEMENT IDIOT : TCHEN QIN EST UNE CHAROGNE QUI POURRIT SOUS LES EAUX !

TCHEN QIN EST MORT, VIEUX FRÈRE ! IL N'Y A PAS À REVENIR SUR LA QUESTION ! !!!

POURTANT, TU M'AS JURÉ L'AVOIR RENCONTRÉ DANS UNE RUE DE SATSUMO, PENDANT QUE NOUS ÉGORGIONS TOUS LES HABITANTS ! !!!

C'EST PARFAITEMENT EXACT ! J'AI MÊME PU ARRACHER UNE TOUFFE DE SES CHEVEUX QUE JE GARDE SUR MOI COMME UNE PRÉCIEUSE RELIQUE ! !!!!

UNE CHAROGNE NE PEUT PAS INQUIÉTER LES VIVANTS ! !!!

CE N'ÉTAIT PAS TCHEN QIN ! CE N'ÉTAIT QU'UN FANTÔME !
!!!

LÂCHE _MOI ! TU ES FOU !!!!

!?!?

PAF !

AU LARGE POLICHINELLES !

LÂCHES ! COUARDS ! PAYSANS ! RACAILLE ! BAVE DE LIMACE !!!!

ARRÊTEZ_LE !!!!

JE TE DEMANDE PARDON POUR MES MAUVAISES MANIÈRES, TÔSHI, VIEUX CAMARADE !!!!

QUE LES KAMIS DES EAUX T'ACCORDENT DE RETROUVER LES ESPRITS AU PLUS VITE ET QU'ILS SOIENT ASSEZ BONS POUR M'APPRENDRE À NAGER !!!!

SHPLAD

SI JAMAIS NOUS SORTONS VIVANTS DE CET ENFER, JE CROIS QUE TU ME DOIS QUELQUES EXPLICATIONS ! ! !

NOUS AVONS ÉCHAN-GÉ LA VIE DE TROIS DES NÔTRES CONTRE LA MORT DE CES DIX SAMURAÏS. C'EST UNE BONNE AFFAIRE! ,,,

POURQUOI NOUS REVÊTIR DE CES ACCOUTREMENTS ?,,,

LE TIGRE VOUS A CHOISIS POUR ALLER VISITER UN VILLAGE DE BOUSEUX EN FAISANT CROIRE À UNE ACTION D'OSHIKAGA.

QUEL BÉNÉFICE LE MAÎTRE ESPÈRE-T-IL RETIRER DE CETTE COMÉDIE ?

LE TIGRE NE NOUS PAYE PAS POUR POSER DES QUESTIONS MAIS POUR EXÉCUTER SES ORDRES AVEUGLEMENT ,,,

LE TIGRE A TOUT PRÉVU: LES GESTES ET TOUS LES MOTS QUI SERONT PRONON-CÉS PAR CHACUN D'ENTRE VOUS.,,,

VOUS AVEZ LA NUIT POUR LES APPRENDRE PAR COEUR ,,,

VOUS PARTIREZ À L'AUBE !,,,

TU N'ES PAS UN LAPIN, MIZU, TU DOIS CESSER DE NOUS ENQUIQUI-NER AVEC CETTE IDÉE FIXE! TU ES UN HOMME MALADE ET TU ES MON AMI, QUE ÇA TE PLAISE OU NON ! ,,,

TU AS RÊVÉ LONGTEMPS DANS UN MONDE DE TERREURS. TU Y A REN-CONTRÉ DES VÉRITÉS SI DURES QUE TU N'AS PAS TROUVÉ DE MEILLEURE SOLUTION POUR TENTER D'Y SUR-VIVRE, QUE DE LES NIER TOUTES !,,,

,,,ET TU N'ES RESSORTI DU VENTRE DU DRAGON QU'EN Y ABANDONNANT TON OMBRE ET TA MÉMOIRE. POUR RETROUVER TON OMBRE ET TOUS TES SOUVENIRS, TU DOIS RÉCONCILIER TOUTES LES PUIS-SANCES EN TOI : LES BONNES ET LES MAUVAISES.

TU DOIS ACCEPTER DE TE VOIR TEL QUE TU ES ET NON PLUS SEULEMENT TEL QUE TU CROYAIS ÊTRE !,,,

JE TE DEMANDE PARDON MAIS JE NE COMPRENDS PAS TOUS TES MOTS COMPLIQUÉS ET JE SUIS FATIGUÉ. J'AI UN PEU FROID AUSSI !!!

MARA EST MOINS BAVARDE MAIS ELLE SAIT ME DONNER DAVANTAGE DE CHALEUR ! !!!

MIZU ! !!! JE SUIS HEUREUSE !!!

JE VEUX DORMIR, MARA. JE VEUX SEULEMENT DORMIR ! !!!

LA TÊTE FOLLE A RAISON, MARA, J'EN SUIS NAVRÉ. NOUS PARTIRONS DEMAIN MATIN, À L'HEURE DU LIÈVRE (*) POUR TROUVER UNE MEILLEURE CACHETTE DANS LA MONTAGNE !!!

S'IL DOIT ME PORTER UNE BONNE PARTIE DU CHEMIN !!!

!!! TON OURS AURA BESOIN DE TOUTES SES FORCES !!!

*) ENTRE 5 ET 7 HEURES

15

?!

TU NE POURRAS JAMAIS ME HISSER JUSQU'À TOI ! JE SUIS BEAUCOUP TROP LOURD !

JE PEUX CE QUE JE VEUX !

TU M'AS SAUVÉ LA VIE !

NE ME REMERCIE PAS : C'ÉTAIT PAR PUR RÉFLEXE !

PAF !

!?!?

⑬

QU'EST CE QUI T'ARRIVE CRÉTIN ?

JE NE SUIS PAS CRÉTIN !!!

EN L'ABSENCE DE KOZO, C'EST **TOI** QUI COMMANDAIT LE GROUPE DES SAMURAÏS ET MON **DEVOIR** ÉTAIT D'EXÉCUTER TES ORDRES, QUE ÇA ME PLAISE OU NON !!!

TU AVAIS PRIS LA PEINE DE M'EXPLIQUER POURQUOI TU N'AVAIS PAS VOULU TE FROTTER À KOZO. TU M'AVAIS EXPLIQUÉ À QUEL POINT TU TENAIS À CONSERVER TA TÊTE PLANTÉE SUR TES ÉPAULES ET TON ESPRIT DEDANS !!!

SEULEMENT DISCIPLINE, TOUJOURS RESPECTUEUX DES VOLONTÉS DU MAÎTRE !!!

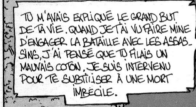

TU M'AVAIS EXPLIQUÉ LE GRAND BUT DE TA VIE. QUAND JE T'AI VU FAIRE MINE D'ENGAGER LA BATAILLE AVEC LES ASSASSINS, J'AI PENSÉ QUE TU FILAIS UN MAUVAIS COTON, JE SUIS INTERVENU POUR TE SUBSTITUER À UNE MORT IMBÉCILE.

TOUT CELA M'APPARAÎT D'UNE TRÈS GRANDE LOGIQUE, MAIS UN MYSTÈRE SUBSISTE, POURQUOI M'AS-TU FRAPPÉ UNE SECONDE FOIS ?

J'AVAIS PEUR QUE TU SOIS TRÈS FÂCHÉ CONTRE MOI ET QUE TU ME REFUSES LA POSSIBILITÉ DE PLAIDER POUR MA CAUSE !!!

MAIS VENANT DE TOI, FRÈRE, C'EST UN GRAND COMPLIMENT !!!

PFF !

!?!?

POURQUOI M'AS-TU ATTACHÉ LES PIEDS ET LES MAINS?

IL Y A DES MOMENTS, KAÏ, OÙ J'AI L'IMPRESSION QUE TU ES BEAUCOUP MOINS BÊTE QUE TU N'EN AS L'AIR !!!

VENANT D'UN AUTRE QUE TOI, CETTE IMPRESSION RESSEMBLERAIT À UNE INSULTE !!!

E TE DEMANDE PARDON, "VIEUX RERE", MAIS ÇA SOULAGE !

BAH ! C'ÉTAIT DE BONNE GUERRE ! !!!

TU M'AS MENTI, MARA. TU SAIS QUI EST CET HOMME ! TU CONNAIS SON PASSÉ, SON VÉRITABLE NOM ! !!!

TU AS RAISON, ODA. IL S'APPELAIT TCHEN QIN. IL ÉTAIT UN DES PLUS DANGEREUX SAMURAÏS DU SIRE OSHIKAGA. MAIS C'EST UN GRAND SECRET QU'IL FAUDRA PARTAGER ! !!!

TU L'AIMES DONC À CE POINT ?

ENCORE PLUS QUE MA LANGUE NE POURRAIT L'EXPRIMER !

REGARDE-LE, ODA : IL EST SI BEAU, SI FORT ! JE VEUX QU'IL RESTE TOUJOURS VIVRE À MON CÔTÉ ! !!!

JE CONNAISSAIS CE DÉMON DE RÉPUTATION. JE SENS TOUJOURS EN LUI CE FOND DE VIOLENCE ET DE MÉPRIS QUI CARACTÉRISE CEUX DE SA RACE ! !!!

LA MÉMOIRE POURRAIT LUI REVENIR PEU À PEU. "TON" TCHEN QIN NE NOUS APPORTERA RIEN DE BON ! !!!

TU ES INJUSTE, ODA ! !!!

19

OUI, JE SAIS : TU M'AS DIT QU'IL M'A SAUVÉ LA VIE ! CET ACTE DEVRAIT SANS DOUTE CONTRIBUER À ME LE RENDRE MOINS HAÏSSABLE, MAIS CE N'EST PAS POSSIBLE, JE NE SUIS PAS ENCORE TOUT À FAIT DÉBARRASSÉ DES PASSIONS HUMAINES !

JE CRAINS LE PIRE, MARA !

TU M'AS SAUVÉ LA VIE ET J'AI SAUVÉ LA TIENNE. À PRÉSENT NOUS SOMMES QUITTES !

JE N'AI PAS FAIT TOUT CE CHEMIN DANS LA RIVIÈRE POUR TE SAUVER, TOSHI, CAR TA VIE M'INDIFFÈRE DEPUIS QUE TU AS PRIS LA MAUVAISE HABITUDE DE M'APPELER "CRÉTIN" !

JE N'AI FAIT CE CHEMIN QUE DANS LE BUT D'ASSOUVIR MA CURIOSITÉ : TU ME PARLAIS DE QIN AVANT QUE NOUS AYONS ÉTÉ INTERROMPUS PAR CETTE BANDE DE SAUVAGES. ET TU ME PARAISSAIT AVOIR DE BONNES RAISONS DE CROIRE QU'IL EST VIVANT !!!

JE NE T'AVAIS PAS PRIS AU SÉRIEUX, SUR LE COUP, QUAND TU M'AS RACONTÉ TON HISTOIRE DE "FANTÔME," MAIS J'AI EU TOUT LE TEMPS DE RÉFLÉCHIR DEPUIS: TU ES TOTALEMENT DÉPOURVU D'INTELLIGENCE ET D'IMAGINATION MAIS TU AS DE BONS YEUX !!!

SI TU AS VU TCHEN QIN DANS LES RUES DE SATSUMO, C'EST DONC QU'IL Y ÉTAIT !!!

TU VEUX DIRE QUE TCHEN QIN SERAIT ENCORE VI_ VANT AVEC SA CHAIR, SES OS !?!?. DANS SA TOTALITÉ !?

EXCEPTÉS QUELQUES POILS QUE TO LUI À DÉROBÉS !!!

MAIS COMMENT EXPLIQUES. TU QU'IL NE M'AIT PAS RECONNU ? ET QU'IL AIT PRIS LA FUITE ?

JE NE SAIS PAS ENCORE MAIS J'AI BIEN L'INTENTION DE TROUVER LA RÉPONSE ET J'Y CONSACRE_ RAI LE TEMPS NÉCESSAIRE !

EN ATTENDANT CE JOUR, JE GARDERAI MA TÊTE INTACTE SUR MES ÉPAULES. N'EN DÉPLAISE À !!! HÉ LÀ ! QUELLE NOUVELLE MOUCHE TE PIQUE !?!?

21

?!?!||||

À MON AVIS, TOSHI, TOUTES TES JOLIS DISCOURS SONT UNE MAUVAISE EXCUSE POUR CAMOUFLER TA COUARDISE !|||

POUR CE QUI ME CONCERNE, JE SUIS TOUT À FAIT PRÊT À VAINCRE OU À MOURIR POUR PLAIRE À MES SEIGNEURS !|||

TU ES DE PLUS EN PLUS DÉBILE, MON PAUVRE KAÏ, ET J'AI QUELQUEFOIS HONTE D'ÊTRE TON AMI !|||

CEPENDANT...

OÙ AI-JE DÉJÀ VU CE BOUGRE ?|||

2

QUI ÉTAIENT CES HOMMES NOIRS ?

LES PIRES DES CRÉATURES QU'ONT INVENTÉ LES HOMMES !...

D'ORDINAIRE, CES DÉMONS S'AGITENT SURTOUT AUTOUR DE LA COUR DE KYOTO ET DES SEIGNEURS DE LA GUERRE DE KAMAKURA. JE ME DEMANDE BIEN QUI A PU LES FAIRE VENIR ICI !...

LES NINGAS SONT DES SAMURAÏS SANS FOI NI LOI, DES PARIAS MERCENAIRES, DES POURVOYEURS DE MORT ORGANISÉS EN CORPORATION ET VENDUS AU MAÎTRE LE PLUS OFFRANT !!!

ILS SONT DES TUEURS SANS SCRUPULES...

ILS USENT DE RUSES ET DE TRAHISONS. ILS N'HÉSITENT PAS À FRAPPER PAR DERRIÈRE OÙ À ATTAQUER À PLUSIEURS UN SEUL DES ENNEMIS QU'ON LEUR A DÉSIGNÉS !...

JE VOUS PRIE D'EXCUSER MON AUDACE, YAMATO, MAIS JE ME SENS TROUBLÉ !!!

TROUBLÉ, KII ? JE NE VOIS AUCUN MOTIF DE TROUBLE, HORMIS PEUT-ÊTRE, LE VISAGE D'UN DES POUILLEUX QUE NOUS AVONS CROISÉS

23

SI TU N'AVAIS PAS TUÉ CET ÉNERGUMÈNE IN-CONSIDÉRÉMENT, IL AURAIT PU PARLER !!!

C'EST MON PROBLÈME, TOSHI : JE NE SAIS TOUJOURS PAS BIEN CONTRÔLER MA FORCE !!!

QU'ALLONS-NOUS FAIRE MAINTENANT ? REJOIN-DRE LE MANOIR DE SIRE OSHIKAGA, OU BIEN TOUT OUBLIER DE NOS OBLIGATIONS ET RECHERCHER LE QIN ?

JE N'EN SAIS FOUTRE RIEN ! JE SUIS DÉSAPPOINTÉ !

JE SUIS FATIGUÉ DE LA CRUAUTÉ DU MAÎTRE, ET DE SON MANQUE D'HONNEUR. LES SINISTRES EXPLOITS DES SAMURAÏS D'ÉLITES ONT PORTÉ DE MAUVAIS FRUITS ET COMPROMETTENT LA VIE CIVILE DE L'ÎLE SADO !!!

L'AUSTÉRITÉ DE NOS MOEURS EST EN TRAIN DE DISPARAÎTRE. LA GUERRE N'EST PLUS UN ART. ELLE DEVIENT UNE BOUCHERIE : L'OCCASION DE CONQUÉRIR DES TITRES DE GLOIRE ET D'ACCROÎTRE SA RICHESSE !!!

LES SAMURAÏS D'ÉLITE DU SIRE OSHIKAGA RIVALISENT D'ÉLÉGANCE ET DE LUXE OUTRANCIER...

ILS COMMENCENT À PORTER DES COSTUMES OPULENTS. ILS VONT MÊME JUSQU'À SE MAQUILLER COMME DES FEMMES ! !!

ON NE PEUT PAS DIRE AUTANT DE TA PERSONNE ! TU ME FAIS L'IMPRESSION D'ÊTRE UN ÉPOUVANTAIL ! !!!

TU NE T'ES PAS REGARDÉ ! !!!

25

NOUS SOMMES DES SAMURAÏS DE SIRE OSHIKAGA ! C'EST LUI QUI S'EST DONNÉ LA PEINE D'ARMER NOS BRAS !!!!

NOUS L'AVIONS PARFAITEMENT DEVINÉ, MES SEIGNEURS, ET VOUS NE TROUVEREZ CHEZ NOUS QUE DES AMIS !!!!

LES SAMURAÏS DE GUERRE DE SIRE OSHIKAGA NE COMPTENT AUCUN AMI PARMI LES GENS QUELCONQUES ! VOUS ÊTES DES KÔOTBUNINS : DES HUMAINS ORDINAIRES !!!!

VOUS N'AVEZ AUCUN BUT QUE CELUI DE PÊCHER ET DE TRAVAILLER DUR POUR DÉCORER LE SIRE OSHIKAGA ET LUI REMPLIR SES COFFRES !

VOUS N'AVEZ AUCUN DROIT QUE CELUI DE VOUS TAIRE ET DE RÉPONDRE, SEULEMENT QUAND ON VOUS INTERROGE !!!!

UNE PETITE CENTAINE DE PAYSANS STUPIDES ONT OSÉ REFUSER DE PAYER LEURS IMPÔTS AU SIRE OSHIKAGA. ILS ONT PRIS LE MAQUIS ET ILS SE SONT ARMÉS SOUS LES ORDRES DU TIGRE. ILS ONT POUSSÉ L'AUDACE JUSQU'À MASSACRER QUELQUES SAMURAÏS DU SIRE OSHIKAGA !!!!

SHIGÉRU EN FAIT TROP ! IL N'A JAMAIS BIEN SU JOUER LA COMÉDIE !!!!

ET MAINTENANT, SILENCE ! VOUS ALLEZ M'ÉCOUTER !!!!

26

LE SIRE OSHIKAGA N'APPRÉCIE PAS QU'ON BAFOUE SON AUTORITÉ, NI QU'ON LUI ENDOMMAGE SES JOUETS PRÉFÉRÉS ET IL A DÉCIDÉ DE CRUELLES REPRÉSAILLES !!!

LE SIRE OSHIKAGA EST BIENVEILLANT ENVERS TOUS SES ADMINISTRÉS DÉVOUÉS ET DOCILES, MAIS IL PEUT SE MONTRER VRAIMENT IMPITOYABLE À L'ENCONTRE DES TRAÎTRES !!!

NOUS EN SOMMES PERSUADÉS MAIS NOUS N'AVONS PAS PEUR CAR NOUS SOMMES, ICI, TOUS SES HUMBLES SERVITEURS !!!

LE SIRE OSHIKAGA N'EN EST PAS CONVAINCU ! !!!

LE SIRE OSHIKAGA CROIT QUE LES HABITANTS DU MYO (*) DE TORIKO SONT DES COMPLICES DU TIGRE !!!!

C'EST UNE GROSSIÈRE ERREUR ! NOUS NE RESSEMBLONS PAS AUX GENS DE SATSUMO !!!

COMMENT !? TU OSES ME DIRE QUE LE SEIGNEUR A TORT !?!?!!!

AH MAIS NON ! S'IL VOUS PLAÎT !!! C'EST UN MALENTENDU !!!

TU N'ES QU'UN SALE MENTEUR !

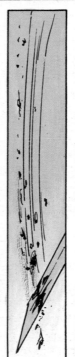

NON !!! NON !!!

ÉCOUTEZ-MOI ENCORE, KÔÔ TSUNINS DE TORIKO ! :

VOUS ÊTES DES RATS PUANTS ! LE SIRE OSHIKAGA NOUS A DONNÉ DES ORDRES POUR VOUS EXTERMINER ! !!!

(27)

VILLAGE, EXPLOITATION AGRICOLE.

!?!?

FWAP!

TRAHISON !

NOUS ... NOUS SOMMES FAIT BERNER PAR LE ... LE TIGRE !!!

BRAVES GENS DE TORIKO, JE SUIS VENU À VOUS POUR VOUS OFFRIR L'ESPOIR D'UNE AUTRE VIE, MEILLEURE, DANS LE MONDE D'ICI-BAS !!!

28

RE DE NOBLESSE ANALOGUE À CEUX DE NOS BARONS EUROPÉENS.

IL SUFFIT DE VOULOIR SE SERVIR DE SES YEUX !!!!

IL NE T'EN RESTE QU'UN !!!!

JE FAISAIS ALLUSION AUX YEUX DU CŒUR, TÊTE FOLLE : CEUX QUI TE MANQUENT LE PLUS !!!!

VOUS AVEZ SACRIFIÉ NEUF FIDÈLES SERVITEURS EN ÉTAT DE SE BATTRE MAIS VOUS EN GAGNEZ CENT !!!!

OUI, YAMATO. C'EST NE TRÈS BONNE ÉRATION QU'IL FAU_ RA RENOUVE_ER E PLUS SOUVENT POSSIBLE !!!!

IL Y A AUTRE CHOSE DONT JE VOUDRAIS PARLER : TÔT DANS LA MATINÉE, TANDIS QUE NOUS REDESCENDIONS DE LA MONTAGNE POUR VENIR VOUS REJOINDRE, NOUS AVONS RENCONTRÉ UN GROUPE DE VOYAGEURS !!!

L'UN D'EUX NE M'ÉTAIT PAS TOUT À FAIT INCONNU MAIS JE N'AI PU, SUR LE MOMENT, LUI METTRE UN NOM !!!

ET À PRÉSENT, TU SAIS ?

OUI, MAÎTRE : C'ÉTAIT TCHEN QIN, SANS AUCUN DOUTE POSSIBLE ! !!!

31

QUAND J'ÉTAIS JEUNE, J'ÉTAIS UN SIMPLE MOINE SHINTÔ, ET PUIS, J'AI EU LA CHANCE DE RENCONTRER UN MAÎTRE QUI A SU TRANS- FORMER LE COURS DE MON DESTIN.

J'AI ÉTÉ SON DISCIPLE PENDANT PLUS DE VINGT ANS. IL SE NOMME NICHIREN !!!

"NICHIREN"!? J'AI DÉJÀ ENTENDU CE NOM-LÀ !!!

JE N'EN SUIS PAS SURPRIS : NICHIREN EST LE PLUS SAVANT DU JAPON ! IL A ÉCRIT DES LIVRES ! ON DIT QUE SA RENOMMÉE S'ÉTEND JUSQU'EN CHINE !!!

IL HABITAIT JADIS À LA COUR DE KYOTO !!!

"PRÈS DE L'EMPEREUR SUPRÊME, MAIS SES IDÉES NOUVELLES DÉPLAISAIENT AUX GRANDS PRÊTRES DE LA SECTE JÔDO !!!

"CES JALOUX L'ONT FAIT EXILER SUR L'ÎLE SADO. JE L'AI ACCOMPAGNÉ.

AUJOURD'HUI, NICHIREN VIT DANS UN MONASTÈRE TOUT EN HAUT DANS LA MONTAGNE !!!

C'EST CHEZ LUI QUE NOUS ALLONS !!!

JE TE PRIE D'EXCUSER MON INDÉLICATESSE. JE NE VOULAIS PAS TROUBLER TA MÉDITATION !!!

JE NE MÉDITAIS PAS DU TOUT, JOLIE POUPÉE ; JE SONGEAIS À TON CUL ! !!!

JE SONGEAIS À TON VENTRE SI BLANC ET SI DOUX, ET À LA SOURCE CLAIRE CACHÉE ENTRE TES CUISSES, À CETTE EAU VIVIFIANTE DONT JE NE ME SUIS PAS ENCORE DÉSALTÉRÉ !!!

32

POURQUOI NE VIENS-TU PAS NOUS RE-JOINDRE, MIGNONNE ? GRIMPE SUR MON PIC D'AMOUR ! ENFOURCHE MON NUAGE ! JE TE FERAI GOÛTER MA RANDONNÉE LOINTAINE ! ///

NON MERCI, VIEUX COCHON. JE NE SUIS PAS D'HUMEUR À CES VAGABON-DAGES. JE NE SUIS PAS CAPABLE DE DONNER DU PLAISIR : J'AI D'AUTRES CHOSES EN TÊTE !//

J'AI FAIT UN RÊVE CETTE NUIT : TCHEN QIN ÉTAIT VIVANT MAIS IL AVAIT CHANGÉ DE COSTUME ET DE NOM. IL S'APPELAIT MIZU ET IL MONTAIT VERS MOI !!!

JE ME MOQUE DE TON RÊVE ! LES RÊVES NE SONT QUE DES VÉHICULES D'ILLUSIONS !///

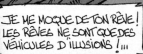

JE VEUX QUE TU TE DÉSHABILLES IMMÉDIATEMENT POUR JOUER AVEC MOI LA BÊTE À DEUX DOS !///

QUAND J'ÉTAIS LA PUTAIN DE SIRE OSHIKAGA, JE SAVAIS OBÉIR À TOUTES SES VOLONTÉS CAR C'ÉTAIT MON MÉTIER. EN ME CONFIANT À TOI, J'ESPÉRAIS QUE JE POURRAIS CHANGER D'ATTITUDE ///

TU ES UN TROP VIEUX SAGE POUR CÉDER AUX CAPRICES D'AMOUREUX CONTRARIÉ. TU NE DOIS ÉPROU-VER NI DÉPIT NI CHAGRIN EN M'AUTORISANT À GARDER MA DIGNITÉ !///

LA DIGNITÉ N'EST PAS UNE QUESTION D'HABIT !//

LA DIGNITÉ DU DISCIPLE EST LA SOUMISSION AU MAÎTRE QU'IL S'EST CHOISI. SI TU VEUX VIVRE ICI, TU DEVRAS M'ACCEPTER EN **TOUT**, AVEUGLÉMENT.// SINON, TU **PARTIRAS** !//

33

AUJOURD'HUI, JE T'ORDONNE DE DEVENIR MA FEMME! DEMAIN, SI JE T'EN MANIFESTE LE DÉSIR, TU SERAS VACHE OU CHÈVRE, OU CHEVAL DE TRAVAIL! !!!

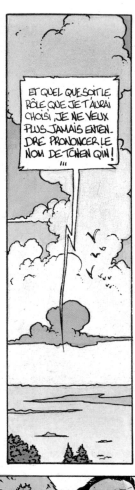

ET QUEL QUE SOIT LE RÔLE QUE JE T'AURAI CHOISI, JE NE VEUX PLUS JAMAIS ENTENDRE PRONONCER LE NOM DE TCHEN QIN! !!!

NOUS AVONS FAIM ET SOIF. J'AI DE QUOI VOUS PAYER !!!

ON VEUT PAS D'VOUS ICI, NI DE CETTE MAUDITE GARCE! ON LA CONNAÎT TROP BIEN! ET NOS HOMMES ENCORE MIEUX! !!!

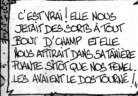

C'EST VRAI! ELLE NOUS JETAIT DES SORTS À TOUT BOUT D'CHAMP ET ELLE NOUS ATTIRAIT DANS SA TANIÈRE PUANTE SITÔT QUE NOS FEMELLES AVAIENT LE DOS TOURNÉ! !!!

ELLE NOUS SUÇAIT LA QUEUE POUR NOUS FAIRE OUBLIER NOS FEMMES ET NOS DEVOIRS DE BONS PÈRES DE FAMILLE! !!!

C'EST UNE ENSORCELEUSE! !!!

REGARDEZ SUR SES SEINS C'EST LA MARQUE DES DÉMONS! !!!

C'EST UNE
NON-HUMAINE!
C'EST UNE FEMME.
..INSECTE!

UNE
MURÂHACHIBU!

BAS LES PATTES!
BANDE DE SINGES! !!!

FAUT PAS TE MÊLER D'ÇA!
C'EST UNE AFFAIRE DE
FEMMES! !!!

?!?!
!!...!

VOUS N'ÊTES QU'UN
RAMASSIS D'ANIMAUX
HYPOCRITES! VOUS NE
VALEZ GUÈRE MIEUX
QUE LES CROTTES DE
VOS CHÈVRES! !!!

PAF!

OUF!

39

ALLONS-NOUS-EN, PETIT !!!

JE N'AIME PAS LES MANIÈRES DES GENS DE CET ENDROIT !!!

FAISONS UNE COURSE, TOSHI. LE DERNIER ARRIVÉ À L'EAU REÇOIT UN GAGE !!!

36

JE TE DEMANDE PARDON. J'AVAIS OUBLIÉ QUE TU ÉTAIS UNE TAPETTE !...

C'EST TON GAGE, MON AMI.

QUEL LÂCHE TU ES, MIZU! QUEL INCAPABLE! TU AS LAISSÉ ODA SE FAIRE MALTRAITER PAR CES PORCS ET TU N'AS RIEN TENTÉ POUR LE DÉFENDRE !!!

JE VOUS AI EXPLIQUÉ QUE J'ÉTAIS UN LAPIN, ET UN LAPIN NE SE BAT PAS CONTRE DES HOMMES !

JE ME SUIS LOURDEMENT TROMPÉE SUR TA PERSONNE ! IL EST HORS DE QUESTION QUE JE REMETTE MON AVENIR ENTRE TES BRAS !

C'EST CE QUE JE CRAIGNAIS : LA BLESSURE S'EST ROUVERTE, ODA EST OBLIGÉ D'INTERROMPRE SON VOYAGE POUR PERMETTRE À SON ŒIL DE SE CICATRISER !!!

JE N'AI PAS L'INTENTION D'ABANDONNER ODA !

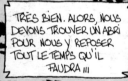

TRÈS BIEN. ALORS, NOUS DEVONS TROUVER UN ABRI POUR NOUS Y REPOSER TOUT LE TEMPS QU'IL FAUDRA !!!

LE MIEUX SERAIT SANS DOUTE DE DÉCOUVRIR UNE GROTTE PLUS HAUT DANS LA MONTAGNE, AVANT QUE LA NUIT TOMBE !!!

NOUS NE SOMMES PLUS TRÈS ÉLOIGNÉS DE TORIKO. LES PÊCHEURS SONT DES GENS D'UN NATUREL AIMABLE ET ILS NOUS OFFRIRONT UN ABRI CONFORTABLE POUR Y PASSER LA NUIT !!!

DEMAIN, NOUS LEUR EMPRUNTERONS UN SECOND CHEVAL POUR VOYAGER PLUS VITE !!!

38

QUELQUES HEURES PLUS TARD !!!

LE CONSEIL DU VILLAGE A FINI DE SIÉGER ET JE N'AI RIEN PU FAIRE POUR CALMER SA COLÈRE. LES HOMMES DE VOTRE RACE NE SERONT PLUS JAMAIS LES BIENVENUS CHEZ NOUS !!!

JE NE CROIS PAS QU'IL Y AIT RIEN À AJOUTER ! !!!

MON NOM EST TOSHI YAMATO TSUYUGUCHI. LA BRUTE QUI M'AC- COMPAGNE SE NOMME KAÏ TAKAÜI. NOUS SOMMES DES SAMURAÏS DE SIRE OSHIKAGA !!!

ALORS, JE VOUS CONSEILLE DE DÉGUERPIR TRÈS VITE !

SI, TAKEDA, MOI, J'AI ENCORE UNE CHOSE À DIRE !

DEMAIN, LE TIGRE NOUS DONNERA DES ARMES, ET IL NOUS APPRENDRA COMMENT NOUS EN SERVIR. NOUS AVONS DÉCIDÉ DE DÉCLARER LA GUERRE AU SIRE OSHIKAGA ET NOUS VOUS EXTERMINERONS JUSQU'AU DERNIER !

PTTU !

PAR LA VERGE D'AMIDA ! !!!

NON, KAÏ, GARDE TON SABRE AU CHAUD. JE CROIS QUE CE JEUNE HOMME A D'EXCELLENTES RAISONS D'AGIR DE CETTE MANIÈRE ! !!!

NOUS AVONS RÉPANDU TROP DE FERMENT ET DE HAINE ET IL EST JUSTE QUE NOUS EN RÉCOLTIONS LES FRUITS !!!

IL N'Y A PLUS D'AMOUR NULLE PART DANS L'ÎLE SADO !!!!

39

TU EXAGÈRES, VIEUX BOUC !, À QUOI BON ME CONTRAINDRE À CETTE HUMILIATION ?

L'HUMILIATION EST LA MÈRE DE L'HUMILITÉ, C'EST AUSSI UN AUTEL SUR LEQUEL LES DIEUX VEULENT QU'ON FASSE DES SACRIFICES !!!

L'HUMILITÉ EST LE CONTREPOIS DE L'ORGUEIL !

HUE, BOURRIQUE !

IL N'Y A PLUS DE DANGER. JE VAIS CHERCHER DU BOIS POUR ALLUMER UN FEU. J'ESSAIERAI AUSSI D'AT-TRAPER QUELQUES LAPINS !!!

J'IGNORAIS QUE LES LAPINS SE MANGEAIENT ENTRE EUX !

JE NE SUIS PAS UN LAPIN COMME LES AUTRES. ODA. ET PUIS, IL FAUT BIEN VIVRE !!!

!!! ET JE N'AIME PAS LES CHATS ! !!!

MIZU!
ATTENDS!!!

JE... JE SUIS DÉSOLÉE
POUR TOUT À L'HEURE,
MIZU. JE N'AVAIS PAS
COMPRIS !!!

JE NE CROIS PAS
QU'IL Y AIT GRAND-
CHOSE À COMPRENDRE
!!!

TU NE DEVRAIS PAS TANT
T'INTÉRESSER À MOI :
JE SUIS UNE PERSONNE
DE TRÈS PEU
D'IMPORTANCE !!!

AVANT DE TE CONNAÎTRE,
J'AVAIS UN AUTRE NOM. J'ÉTAIS
PEUT-ÊTRE UN HOMME ? OU
BIEN PEUT-ÊTRE PAS ?!!

TOUTES LES RÉPONSES SONT
LÀ, ENFERMÉES QUELQUE
PART SOUS LES OS DE MON
CRÂNE. TOUT CONTINUE DE
VIVRE ÉTERNELLEMENT EN
MOI !!!

!!! MES DÉMONS ET MES ANGES
REPLIÉS SUR EUX MÊMES,
TERRIBLES ET MYSTÉRIEUX ! !!!

LAISSE LES MYSTÈRES AUX DIEUX.
TU ES MIZU CETTE NUIT, ET JE SUIS
AVEC TOI. REGARDE LES ÉTOILES
QUI COMMENCENT À BRILLER. NE
SONT-ELLES PAS SPLENDIDES ?

CES ÉTOILES
SONT À NOUS.
ELLES NE
BRILLENT QUE
POUR NOUS !!!

ELLES
S'ÉTEINDRONT
À L'AUBE.
DEMAIN, IL
FERA JOUR !!!

DEMAIN EST UN MENSONGE !
SEUL LE PRÉSENT EXISTE. IL
FAUT EN PROFITER, CAR JAMAIS
PLUS IL NE POURRA SE REPRODUIRE !
!!!

LE PRÉSENT, LUI AUSSI,
EST UN MENSONGE, MARA !
LE TEMPS NE COMPTE PAS.
OU BIEN, S'IL COMPTE UN
PEU, C'EST SEULEMENT
PAR ERREUR !!!

!!! IL FAUT LAISSER PASSER
LE TEMPS SANS
L'INTERROMPRE !!!

41

ET QUELQUES JOURS PLUS TARD !!!

JE SUIS SÉDUIT, VOIRE ÉBLOUI, PAR LA SPLENDEUR DE L'ÈRE HÉIAN, ET JE VOUDRAIS BIEN RECRÉER CETTE ATMOSPHÈRE AUTOUR DE MOI !!!

"C'EST POURQUOI JE T'AI DEMANDÉ DE VENIR ME FAIRE PROFITER DE TA SCIENCE EN LA MATIÈRE!"

JE ME SUIS LAISSÉ DIRE QUE TU AVAIS VÉCU PENDANT PLUSIEURS ANNÉES À LA COUR DE HIAN-KYO, PRÈS DE L'EMPEREUR SUPRÊME !!!

C'EST EXACT, SEIGNEUR, ET LES MODES DE CE LIEU N'ONT PLUS DE SECRETS POUR MOI ! !!!

LA TRADITION VEUT QUE LES NOBLES SOIENT DES GENS D'UN GOÛT TRÈS RAFFINÉ. LES SOURCILS DOIVENT ÊTRE RASÉS ET REDESSINÉS EN FORME DE CROISSANT, DE MANIÈRE À ALLONGER LE REGARD !!!

LE TEINT PÂLE EST TOUJOURS UN CRITÈRE DE BEAUTÉ ET, POUR LE REHAUSSER, ON PEINT LES DENTS EN NOIR, MAIS IL FAUT QUE VOUS SACHIEZ QUE LA MÉTHODE PRÉSENTE DES ASPECTS CONTRAIGNANTS !!!

COMBIEN DE TEMPS FAUT-IL LAISSER SES DENTS SÉCHER AVANT DE POUVOIR MANGER CONVENABLEMENT ?

LES PLAISIRS DE LA TABLE SONT DES PLAISIRS VULGAIRES ! !!!

À HIAN-KYÔ, L'EMPEREUR NE FAIT QUE DEUX REPAS PAR JOUR, LE PREMIER À L'HEURE DU SERPENT(1) ET L'AUTRE À L'HEURE DU SINGE !!! (2)

IL SE NOURRIT ESSENTIELLEMENT DE RIZ À L'EAU OU CUIT À LA VAPEUR. QUELQUES LÉGUMES PEUVENT ACCOMPAGNER L'ORDINAIRE POUR ENRICHIR LE PLATEAU D'UNE TOUCHE DE COULEUR MAIS IL NE LES CONSOMME QU'EN PETITE QUANTITÉ !!!

⁽¹⁾VERS 10 HEURES DU MATIN ⁽²⁾ VERS 4 H DE L'APRÈS-MIDI.

43

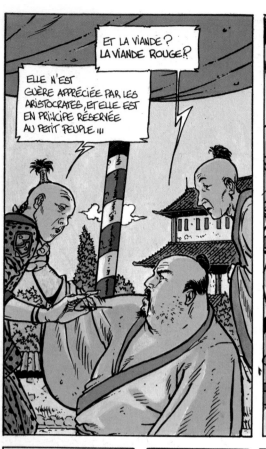

ET LA VIANDE ?
LA VIANDE ROUGE ?

ELLE N'EST GUÈRE APPRÉCIÉE PAR LES ARISTOCRATES, ET ELLE EST EN PRINCIPE RÉSERVÉE AU PETIT PEUPLE !!!

CETTE MODE EST GROTESQUE !!

?!?!

TU M'AS BEAUCOUP DÉÇU. NE RECOMMENCE JAMAIS !

NON, NON, NON !!!

NON, SEIGNEUR ! JE LE JURE !

AINSI, JE SUIS SÛR QUE TU TIENDRAS TA PROMESSE !

JE SUIS CONFUS DE VOUS DISTRAIRE DANS VOS PRÉOCCUPATIONS ESTHÉTIQUES, SEIGNEUR OSHIKAGA, MAIS LA SITUATION POLITIQUE SE DÉGRADE. LE VER EST DANS LE FRUIT. LE DÉSORDRE MENACE !!!

TU EXAGÈRES UN PEU ! IL FAUDRAIT PLUS QUE QUELQUES POIGNÉES D'EXCITÉS POUR FAIRE UNE GUERRE CIVILE !

JE NE PARTAGE PAS VOTRE OPTIMISME, SEIGNEUR. SI NOUS N'Y METTONS PAS UN HOLÀ ÉNERGIQUE EN FRAPPANT VITE ET FORT, CES "POIGNÉES" POURRAIENT BIEN UN JOUR NOUS ÉTRANGLER.

LES MYÔ DE KOSHITA ET DE INAMURA ONT SUIVI LE MAUVAIS EXEMPLE DE TŌRIKO POUR SE RALLIER AU TIGRE ET GROSSIR SON ARMÉE !!!

TOUJOURS AUCUNE NOUVELLE DU GÉNÉRAL KŌZO ?

NON, SIRE, MAIS KAÏ EST DE RETOUR. IL ATTEND DEPUIS CE MATIN ET IL SOUHAITE POUVOIR OBTENIR UNE ENTREVUE AVEC VOTRE EXCELLENCE !!!

QU'EST DEVENU KŌZO ?

JE L'IGNORE, VOTRE GRÂCE, PEUT-ÊTRE A.T.IL ÉTÉ LUI AUSSI MASSACRÉ PAR LES BRIGANDS DU TIGRE !!!

NOUS NOUS SOMMES DISPUTÉS IL Y A UNE SEMAINE, À LA SUITE DE TOUTES CES DIVERGENCES D'OPINIONS. IL A PRIS LE CHEVAL ET IL M'A LAISSÉ FINIR SEUL LA ROUTE À PIED POUR VENIR VOUS REJOINDRE !!!

ET TOSHI ?

IL VA MAL. SON HARMONIE EST MORTE. IL PRÉTEND QU'IL N'Y A PAS D'HONNEUR DANS LA GUERRE. AUCUN AVENIR SÉRIEUX !!!

C'EST UNE ABSURDITÉ !

JE SUIS DE VOTRE AVIS, MAIS TOSHI A SOUVENT DES IDÉES SAUGRENUES ET IL EST IMPOSSIBLE DE L'EN FAIRE DÉMORDRE !!!

JE CROIS QU'IL EST REPARTI DANS LA MONTAGNE. IL S'EST MIS DANS LA TÊTE DE RETROUVER TCHEN-QIN !!!

TCHEN QIN EST MORT, CRÉTIN ! C'EST UNE AFFAIRE RÉGLÉE ET JE NE COMPRENDS PAS POURQUOI TOSHI EST REVENU SUR LA QUESTION !!!

45

JE NE LE COMPRENDS PAS NON PLUS PERSON_NELLEMENT, VOTRE SUBLIMITÉ! MAIS TOSHI EST BIZARRE DEPUIS LE SEPPUKU DE CE PAUVRE BAFFU (*)!!!

COMMENT UNE TELLE MERVEILLE PEUT-ELLE SUPPORTER DE PARTAGER L'OREILLER D'UN VIEUX RAT DE TON ESPÈCE?

PIMIKO ZU N'EST PLUS LA POUPÉE DE SIRE OSHIKAGA. ELLE A CHAN_GÉ DE MAÎTRE. ELLE EST À PRÉSENT UNE ÉLÈVE TRÈS APPLIQUÉE, DÉ_POURVUE D'ARROGANCE, ET TOUJOURS EMPRESSÉE DE PRÉVENIR MES DÉSIRS!!!

SI ELLE NE RELÂCHE PAS SES EFFORTS QUOTIDIENS, J'AI UN TRÈS BON ESPOIR, D'ICI UN AN OU DEUX, DE LA FAIRE ACCÉDER AU ROYAUME DU BUDDHA!!!

GARDE TES BONIMENTS POUR UN AUTRE GOGO, NICHIREN, VIEUX PERVERS! JE NE SUIS PAS MONTÉ JUSQU'ICI DANS LE BUT DE TE FAIRE LA MORALE!!!

QU'ES-TU VENU CHERCHER CHEZ MOI, MON BON TOSHI? JE N'AI RIEN À T'OFFRIR QUE CETTE SOUPE INSIPIDE ET LE POIDS DE MES ANNÉES...

NE SOIS PAS SI MODESTE. TU ES LE PLUS SAVANT DES HOMMES QUE JE CONNAISSE!!!

!!! ET SI QUELQU'UN SUR TERRE SAIT OÙ TCHEN QIN SE CACHE, CE NE PEUT ÊTRE QUE TOI!!!

QUE LES DIABLES L'EMPORTENT! J'AI DIT QUE JE NE VOULAIS PLUS JAMAIS ENTENDRE PRONONCER SON NOM!!

CETTE COMÉDIE N'A DONC PAS DE FIN!?!?

FIN DE L'ÉPISODE

(*) VOIR (LE SANG DE LA LUNE)

TEXTE : COTHIAS . DESSIN ET COULEUR _ ADAM

COTHIAS · ADAMOV

LE VENT
DES
DIEUX

t.5, La balade de Mizu

—— TOME 5 ——

Glénat

DANS L'ÎLE SADO, L'HIVER S'EST ENFIN ASSOUPI. LE PRINTEMPS SOUFFLE SUR LA PLAINE. LA SÈVE BOUILLONNE SOUS LES TRONCS NOIRS DES ARBRES DÉNUDÉS PAR LE GEL.

LE SIRE OSHIKAGA VOUS ACCABLE D'IMPÔTS. AVANT-HIER, LES HABITANTS DE TORIKO ONT OSÉ PROTESTER, AUJOURD'HUI, ILS SONT MORTS ET TORIKO N'EST PLUS...

MAIS LE SIRE OSHIKAGA N'EST PAS SATISFAIT. IL EXIGE TOUJOURS PLUS : VOTRE OR ET VOTRE SANG, JUSQU'À LA DERNIÈRE ONCE, JUSQU'À LA DERNIÈRE GOUTTE !...

MAIS QUE FAIRE, SEIGNEUR TIGRE ? SI NOUS LEVONS LA TÊTE, OSHIKAGA ENVOIE SUR NOUS SES SAMURAÏS. LES SAMURAÏS DU SIRE OSHIKAGA SONT COMME DES CHIENS FÉROCES, ILS TUENT TOUT CE QUI BOUGE !...

POURQUOI LES SAMURAÏS SERAIENT-ILS SEULS À POSSÉDER DES ARMES ? POURQUOI LA VIE D'UN SAMURAÏ VAUDRAIT-ELLE PLUS QUE LA VÔTRE ?

①

POURQUOI LES NOBLES VOUS SERAIENT-ILS SUPÉRIEURS ? SI LES MOINES DE CE PAYS VOULAIENT BIEN VOUS APPRENDRE, VOUS POURRIEZ LIRE LES MÊMES LIVRES QUE LES NOBLES ET SAVOIR CE QU'ILS SAVENT.

VOUS POURRIEZ RAISONNER COMME EUX POUR LES COMBATTRE ALORS QUE JAMAIS LES NOBLES NE POURRONT APPRENDRE VOTRE VIE ET VOS COUTUMES !...

LE TIGRE A RAISON ! NOUS DEVONS NOUS DÉFENDRE ! NOUS SOMMES DIX MILLE FOIS PLUS NOMBREUX QUE LES SAMURAÏS ET NOUS POURRIONS LES SURPASSER !

VOUS PARLEZ BIEN, SEIGNEUR, MAIS CES CULS-TERREUX SONT BORNÉS ET LOURDS À DÉPLACER. ILS ONT LE GOÛT DE L'OBÉISSANCE. ILS RÉPUGNENT À LA LIBERTÉ !...

CE N'EST PAS LA LIBERTÉ DE CES NAÏFS QUI M'INTÉRESSE, MON BON YAMATO : QU'ILS RESTENT OBÉISSANTS, POURVU QU'ILS CHANGENT DE MAÎTRE !...

VOUS NOUS QUITTEZ ENCORE ?

OUI, YAMATO : TU CONNAIS MES OBLIGATIONS...

LE GÉNÉRAL KOZO EST DE RETOUR, SEIGNEUR...

EH BIEN, QUELLES NOUVELLES ?

LES PAYSANS, LES SERFS, DE PLUS EN PLUS NOMBREUX ABANDONNENT LEURS VILLAGES POUR SE FAIRE HORS-LA-LOI SOUS LA BANNIÈRE DU TIGRE !

VOILÀ TOUT CE QUI RESTE DE SON AMBASSADE !

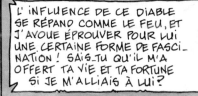

L'INFLUENCE DE CE DIABLE SE RÉPAND COMME LE FEU, ET J'AVOUE ÉPROUVER POUR LUI UNE CERTAINE FORME DE FASCINATION ! SAIS-TU QU'IL M'A OFFERT TA VIE ET TA FORTUNE SI JE M'ALLIAIS À LUI ?

ET QU'AS-TU RÉPONDU ?

...ES UN HOMME HABILE. J'AI ...ESOIN D'HOMMES HABILES. ...E TE DEMANDE PARDON D'AVOIR UN COURT INSTANT ...OUTÉ DE TON AFFECTION...

IL N'Y A JAMAIS EU D'AFFECTION ENTRE NOUS, SEIGNEUR OSHIKAGA. CE N'EST PAS UN SECRET, SEUL UNE SORTE DE RESPECT AMBIGU NOUS ATTACHE : **RESPECT POUR LES INSTINCTS LES PLUS VICIEUX DE L'AUTRE...**

ET MAINTENANT, DIS-MOI LE FOND DE TA PENSÉE !

MA CERTITUDE, SEIGNEUR, EST QU'IL FAUT FRAPPER VITE ET PLUS FORT QUE JAMAIS, POUR DÉTRUIRE L'ENNEMI AVANT QU'IL NOUS DÉTRUISE...

IL EST DIT DANS NOS TRADITIONS QUE POUR LE BIEN D'UNE FAMILLE UNE PERSONNE PEUT ÊTRE SACRIFIÉE. POUR LE SALUT D'UN VILLAGE, C'EST UNE FAMILLE QUI PEUT MOURIR. POUR LE SALUT D'UN PEUPLE, C'EST UN VILLAGE QUI PEUT BRÛLER.

MAIS NOUS AVONS DÉJÀ FAIT RASER TROIS VILLAGES ET PASSER PAR LES ARMES TOUS LEURS HABITANTS, SANS ÊTRE VRAIMENT SÛRS QU'ILS AIENT ÉTÉ DE CONNIVENCE AVEC LE TIGRE !...

TOUT CE SANG RÉPANDU, QU'IL SOIT JUSTE OU INJUSTE, NE PEUT ÊTRE LAVÉ QUE PAR D'AUTRES MASSACRES ENCORE PLUS RÉPUGNANTS...

POUR LA SURVIE DES CHEFS, POUR LE RESPECT DES LOIS DONT ILS SONT LES GARDIENS, UN PEUPLE TOUT ENTIER PEUT ÊTRE ANÉANTI. IL FAUT **VAINCRE OU PÉRIR !**...

TU AS RAISON, KOZO. MA DÉCISION EST PRISE : TU REPARS SUR LE CHAMP AVEC TOUTE MON ARMÉE ! TU AGIS À TA GUISE AVEC LES POUSSE-CAILLOUX QUE TU POURRAS TROUVER ! TU NE REVIENS ME VOIR QU'AVEC LA PEAU DU TIGRE !...

③

PEUT-ÊTRE QUE JE N'AI PAS D'EXISTENCE VÉRITABLE. PEUT-ÊTRE QUE TOI NON PLUS, TU N'AS PAS D'EXISTENCE, NI SEI, NI MÊME ODA : VRAIMENT AUCUNE RÉALITÉ !...

PEUT-ÊTRE QUE NOUS NE SOMMES TOUS QUE LES RÊVES D'UN FOU ?

IL SERAIT PRÉFÉRABLE DE N'ÊTRE QUE DES RÊVES. REGARDE : LE CIEL EST ROUGE !...

NON, MIZU, JE REGRETTE : NOUS NE SOMMES PAS DES RÊVES !...

LE CIEL EST **TOUJOURS** ROUGE AU CRÉPUSCULE, MIZU : C'EST UNE LOI DE LA NATURE !...

JE N'AIME PAS CE ROUGE-LÀ. CE N'EST PAS LA COULEUR DU SOLEIL QUI SE COUCHE : C'EST LA COULEUR DU **SANG.** C'EST UN MAUVAIS PRÉSAGE,...

L'AVENIR EST INCERTAIN !...

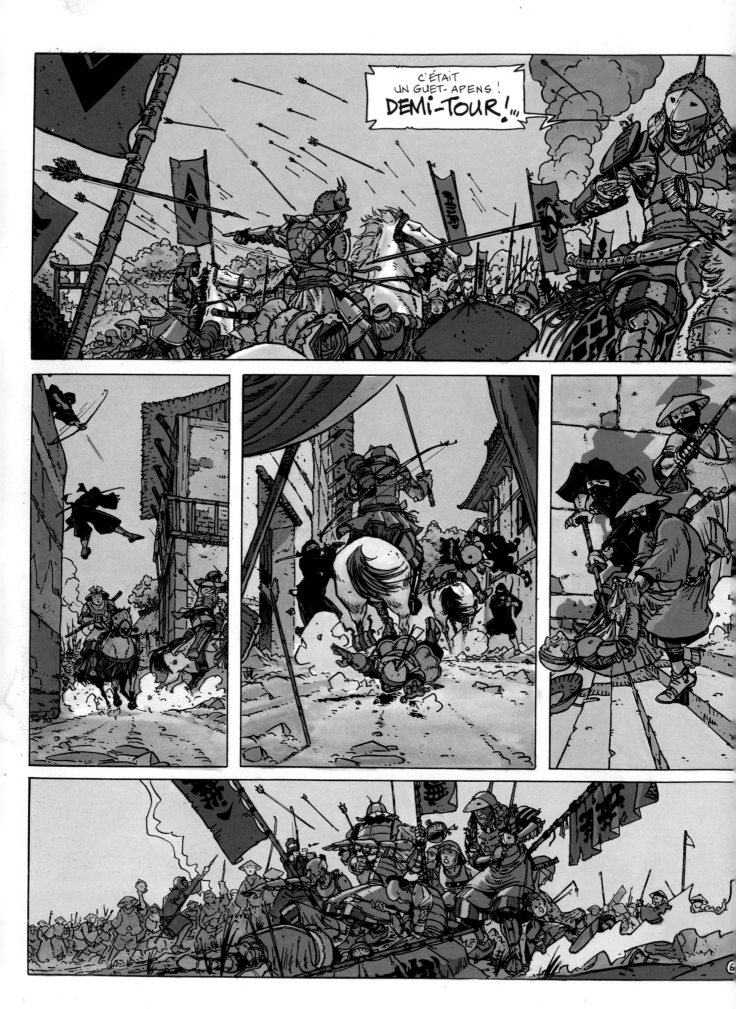

CROIS-TU QUE CES BERGERS PUISSENT TE CONNAÎTRE, MARA ?

NON : NOUS SOMMES PARVENUS TROP HAUT DANS LA MONTAGNE...

SOYEZ LES BIENVENUS. JE N'AI À PARTAGER QU'UNE BIEN MAIGRE SOUPE ET UN PEU DE FROMAGE...

NOUS NOUS EN CONTENTERONS !

C'EST LUI ! SANS AUCUN DOUTE !

ALORS, PRENDS LE CHEVAL, COURS PRÉVENIR LE TIGRE ! IL NOUS EN SAURA GRÉ...

EST-IL VRAI QUE NOTRE DAIMYÔ OSHIKAGA AIT CONFIÉ LE COMMANDEMENT DE TOUTE SON ARMÉE AU MYÔSHU KOZO ET QU'IL N'EXISTE PAS D'HOMME PLUS IMPITOYABLE ?

OUI, GRAND-PÈRE, C'EST UN FAIT, ET JE SUIS BIEN PLACÉ POUR POUVOIR T'EN PARLER...

KOZO A FAIT MASSACRER TOUS LES HABITANTS DU MYÔ* DE SATSUMO, ET JE N'AI PU MOI-MÊME SURVIVRE QUE PAR MIRACLE EN Y ABANDONNANT UN BOUT DE MON VISAGE !...

* VILLAGE

KOZO M'AVAIT FAIT JETER DANS UNE GRANDE MARMITE ET IL S'APPRÊTAIT À M'ÉBOUILLANTER TOUT VIF COMME UN VULGAIRE HOMARD, MAIS LA PLUIE A UN PEU CONTRARIÉ SON PROJET*...

* VOIR L'HOMME OUBLIÉ

MIZU M'A DÉCOUVERT ET M'A TRANSPORTÉ SUR SES LARGES ÉPAULES ! IL EST FORT COMME UN OURS !

JE NE SUIS PAS UN OURS...

⑦

KOZO EST UN SERPENT. LE TIGRE NOUS VENGERA, IL A DES DENTS SOLIDES !...

S'IL N'AVAIT QUE DES DENTS, CE TIGRE-LÀ NE SERAIT QU'UN FAUVE PARMI D'AUTRES, VULNÉRABLE AUX CHASSEURS ! MAIS ON DIT AUSSI QUE SA LANGUE A DE L'ÉCLAT,...

EN VÉRITÉ, GRAND-PÈRE, LES SAMURAÏS DE SIRE OSHIKAGA ET LES BRIGANDS DU TIGRE ME FONT PEUR TOUT AUTANT. LE SANG APPELLE LE SANG. IL N'Y AURA BIENTÔT PLUS DE SÉCURITÉ NULLE PART DANS L'ÎLE SADO !...

MARA N'A PLUS QU'UN FILS. ELLE NE VEUT PAS LE PERDRE ...

JE COMPRENDS, MAIS VOUS ÊTES EN SURÈTE ICI.

NOUS AUTRES LES BERGERS, NOUS N'AIMONS PAS LA GUERRE ET NOUS NE NOUS MÊLONS PAS DE POLITIQUE. NOUS N'AVONS QUE DES AMIS,...

LES BERGERS NE SONT PAS DES AMIS DE MARA ! MARA EST UNE PUTAIN, UNE DÉBAUCHÉE NOTOIRE. ELLE A JADIS COMMIS UN CRIME IMPARDONNABLE EN COCUFIANT SON VIEUX MARI QUI LA BATTAIT, ET ELLE A ÉTÉ EXILÉE DE SON VILLAGE ET MARQUÉE AU FER ROUGE, LÀ, ENTRE LES DEUX SEINS !

!?

MARA NE FAIT PLUS PARTIE DE L'ESPÈCE HUMAINE, C'EST UNE FEMME-INSECTE ! UNE MURÂHA CHIBU !...

TU PARLES TROP, MIZU...

⑧

MIZU, JE CROIS QU'IL EST TEMPS D'ALLER TE COUCHER. TU ES TRÈS FATIGUÉ, ET UN HOMME FATIGUÉ DIT BEAUCOUP DE SOTTISES...

MARA N'EST PAS SEULEMENT UNE PUTAIN, MIZU! MARA EST MA MAÎTRESSE, ET IL NE TIENT QU'À ELLE DE DEVENIR UN JOUR PROCHAIN MA FIANCÉE! ET JE TE CONSEILLE DE NE JAMAIS L'OUBLIER!...

JE TE DEMAN- DE PARDON, MAIS JE SUIS UNE PERSONNE DE SI PEU D'IMPORTANCE QUE JE NE MÉRITE PAS DE TE METTRE EN COLÈRE...

JE SUIS UNE TÊTE DE VENT, ET TOI, TU ES INTELLIGENT ET CULTIVÉ...

ET TU L'ES TOUT AUTANT: TU SAIS LIRE ET ÉCRIRE!...

MAIS JE N'AI PLUS DE MÉMOIRE... PLUS DE NOM VÉRITABLE! JE NE SUIS PAS UN HOMME!...

TU ES UN LAPIN, HEIN? TOUJOURS CETTE IDÉE FIXE!?

OUI, ODA. ET LES LAPINS SAVANTS SONT DES MONSTRES. IL FAUT M'EXTERMINER!...

NOUS AUTRES, JAPONAIS, SOMMES INCROYABLEMENT PATIENTS. NOUS SAVONS ENDURER NOTRE MALHEUR, CAR RIEN AU MONDE N'EST PLUS INSTABLE QUE CE PAYS...

UN GRAND SEIGNEUR PEUT PERDRE DU JOUR AU LENDEMAIN TOUT CE QU'IL A ENTRE LES MAINS, JUSQU'À SA PROPRE VIE, ET, À SA PLACE, PEUT S'INSTALLER UN AUTRE PERSONNAGE...

QU'ALLONS-NOUS FAIRE DE CES DEUX PRISONNIERS, SEIGNEUR?

QU'ILS VIVENT POUR TÉMOIGNER!

ALLEZ PORTER CECI AU SIRE OSHIKAGA. DITES-LUI BIEN QUE, S'IL VEUT CONTINUER LA LUTTE, IL LUI FAUDRA CHOISIR UN NOUVEAU GÉNÉRAL...

SEIGNEUR TIGRE !?

QUOI ENCORE?

TCHEN QIN !? TU ES EN ES SÛR?

OUI MAÎTRE, ABSOLUMENT!

PLUS UN INSTANT À PERDRE !...

10

NOUS LES AVONS CHASSÉS ! NOUS IGNORIONS CE QU'ILS REPRÉSENTAIENT POUR VOUS...

PLUS HAUT, DANS LA MONTAGNE. LES BERGERS NE MANQUENT PAS. JE CROIS AVOIR COMPRIS QUE CELUI QUE TU CHERCHES A PERDU LA MÉMOIRE. LE MOINE ET LA PUTAIN L'ONT APPELÉ MIZU. IL LEUR A RÉPONDU QU'IL ÉTAIT UN LAPIN...

ET OÙ SONT-ILS ALLÉS ?

JE NE L'IMAGINE PAS FAIRE DU MAL À UNE MOUCHE !...

JE ME MOQUE DE CE QUE TU IMAGINES, VIEIL HOMME ! TCHEN QIN EST UN FANTÔME ENCOMBRANT DE MON PASSÉ ! JE DÉTESTE LES FANTÔMES !

MAIS VOUS AVEZ D'AUTRES CHATS À BATTRE, MONSEIGNEUR, DEUX HOMMES ME SUFFIRONT POUR CHASSER CELUI-LÀ...

PRENDS-EN DIX, IMBÉCILE !

TCHEN QIN ÉTAIT UN SAMURAÏ EXCEPTIONNEL, PRESQUE AUSSI FORT QUE MIZU. IL A AU MOINS DIX VIES QUAND LES CHATS N'EN ONT QUE NEUF !...

L'HOMME SANS MÉMOIRE EST PARFOIS PIRE QU'UN TIGRE BLESSÉ. IL EST UN ANIMAL D'AUTANT PLUS DANGEREUX QU'IL N'A PLUS RIEN À PERDRE !...

MIZU L'A REMPLACÉ. MIZU EST UN HUMAIN TOUT À FAIT ORDINAIRE QUE JE SAURAIS TUER RIEN QU'EN CLAQUANT DES DOIGTS...

TU TE VANTES, YAMATO...

11

QUE ME CONSEILLEZ-VOUS ?

LA PRUDENCE, LA MODÉRATION, ET LA FIN DES HOSTILITÉS. PACTISEZ AVEC LES HORS-LA-LOI. DONNEZ-LEUR LE PEU QU'ILS DEMANDENT ET TERMINEZ-EN AVEC CETTE AFFAIRE. LA PAIX NOUS PROFITERA À TOUS !...

MAIS LE TIGRE NE SE CONTENTERA PAS DE PROMESSES ! SI JE LUI CÈDE UN DOIGT, IL ME PRENDRA LA MAIN !

SACRIFIEZ-LUI LA GAUCHE, AVEC LE BRAS EN PRIME !

MAIS AVEC QUELLE ARME ? NOUS NE SOMMES PLUS QUE CENT !...

DONT CINQUANTE INCAPABLES !

ET SI CE BRAS NE COMBLE PAS SON APPÉTIT ? S'IL EXIGE TOUT LE CORPS, DES PIEDS JUSQU'À LA TÊTE ?

ALORS, MONTREZ-VOUS FERME, MAIS SANS HAINE NI COLÈRE. RETIREZ LE PEU QUI RESTE DE VOS GUERRIERS POUR PROUVER AUX BRIGANDS VOTRE BONNE VOLONTÉ, ET TENEZ-VOUS À L'ABRI DANS VOTRE FORTERESSE !

C'EST IMPOSSIBLE ! LE TIGRE BAFOUE MON HONNEUR ! TANT QUE DURE SON HONNEUR, LE DAIMYÔ EST VIVANT, SON HONNEUR DISPARU, IL EST OUBLIÉ, MORT !

JE DOIS COMBATTRE ENCORE !

SI SEULEMENT TCHEN QIN ÉTAIT ENCORE VIVANT ! SI SEULEMENT PIMIKO NE M'AVAIT PAS QUITTÉ. POUR CHASSER SON FANTÔME ! SI TOSHI N'AVAIT PAS DISPARU À SON TOUR, JE SERAIS PLUS TRANQUILLE.

RESTE KAÏ, MONSEIGNEUR ! N'EST-IL PAS LE PLUS FORT DE TOUS LES SAMURAÏS ? ET SI STUPIDE QU'IL VOUS OBÉIT SANS BRONCHER !

⑬

CETTE CROTTE PROVIENT D'UN VENTRE D'HOMME. ELLE EST VIEILLE DE TROIS HEURES À PEINE. L'ODEUR EST ENCORE TRÈS SUBTILE !...

IL PEUT S'AGIR D'UNE SIMPLE MERDE DE BERGER...

MAIS JE NE VOIS NULLE TRACE DE CHÈVRE ET LES BERGERS NE CHIENT JAMAIS LOIN DU TROUPEAU ! NOUS SOMMES SUR LA BONNE PISTE !...

SI LE SOLEIL COUCHANT TE REND SI GAI ET SI GALANT, ODA, IL FAUDRA QUE JE ME DÉBROUILLE POUR T'EN PROCURER TOUS LES SOIRS !...

MIZU EST PARVENU À ME CONTAMINER AVEC SES INQUIÉTUDES. JE N'AIME PAS BEAUCOUP LE ROUGE DE CE CRÉPUSCULE...

SI TU LE VEUX, MARA, JE COMBATTRAI LE CIEL, LE SOLEIL ET LA LUNE POUR CHANGER LEURS COULEURS !

ET MIZU ? TU NE CRAINDRAIS PAS QU'IL SOIT JALOUX ?...

MIZU N'EST PAS UN HOMME ! IL N'A PAS DE SENTIMENT. IL NE M'INTÉRESSE PLUS ...

IL Y A UNE ODEUR QUI ME DÉPLAÎT, ICI ...

LES ANIMAUX NE PUENT JAMAIS DE CETTE MANIÈRE. CE SONT DES HOMMES QUI MONTENT PRÉCÉDÉS PAR LE VENT, ILS SONT UNE DIZAINE. ILS POSSÈDENT DES CHEVAUX...

L'ODEUR S'EST RENFORCÉE, C'EST PLUS FROID QUE LA HAINE. LES HOMMES QUI MONTENT NE SONT PAS DES HOMMES VÉRITABLES, MAIS DES MACHINES À TUER . ET C'EST **NOUS** QU'ILS RECHERCHENT !...

CROIS-TU QUE LES BERGERS NOUS AURAIENT POURSUIVIS ?

LES BRAISES SONT ENCORE ROUGES : LES OISEAUX VIENNENT TOUT JUSTE D'ABANDONNER LE NID !

AVEC LES CHEVAUX, NOUS POUVONS ENCORE LES REJOINDRE !...

PIED À TERRE ! NOUS MÉRITONS UNE NUIT DE REPOS. NOTRE GIBIER NE POURRA PLUS NOUS ÉCHAPPER, DE TOUTES LES MANIÈRES !

MAIS LA MONTAGNE EST GRANDE !

SANS DOUTE, MAIS LES ABRIS SONT DE PLUS EN PLUS RARES. IL N'EN RESTE PLUS QU'UN QUI SOIT DIGNE DE CE NOM : LE PETIT MONASTÈRE DU VIEUX MOINE EN EXIL.

PARDONNE MON INGRATITUDE ET MA FROIDEUR, NICHIREN. PERMETS-MOI DE NE PLUS ME JOINDRE À TOI QUE DANS LE CADRE DES PRIÈRES !...

QUAND TU M'AURAS APPRIS TES VÉRITÉS NOUVELLES POUR M'AIDER À RENAÎTRE DANS UNE AUTRE VIE ET RETROUVER TCHEN QIN, TU POURRAS FAIRE DE MOI TOUT CE QUE TU VOUDRAS.

QUAND J'AURAI FAIT DE TOI TOUT CE QUE JE DÉSIRE, TU N'AURAS PLUS BESOIN DE RÊVER DE TCHEN QIN !...

15

DES SAMURAÏS SONT ARRIVÉS, Ô GRAND PRÉCIEUX ! ILS ATTENDENT DANS LA COUR ET LEUR CHEF S'IMPATIENTE...

ME RECONNAIS-TU, MÔINE ? JE SUIS KAÏ OSHIBU, LE MEILLEUR SAMURAÏ DE SIRE OSHIKAGA. MON SIRE OSHIKAGA A PENSÉ QUE TOI SEUL POUVAIS BÉNÉFICIER D'UNE TRÈS LARGE AUDIENCE AUPRÈS DES CULS-TERREUX ET D'ASSEZ D'ÉLOQUENCE POUR COMBATTRE LE TIGRE AVEC SES PROPRES ARMES...

MAIS CETTE AFFAIRE EST HORS DE MA JURIDICTION : C'EST UN PROBLÈME TEMPOREL, PAS SPIRITUEL !...

MON SIRE, OSHIKAGA AVAIT ANTICIPÉ TES RÉTICENCES, VIEUX SINGE. DANS LE CAS OÙ SES PRIÈRES NE SUFFIRAIENT PAS À TE RALLIER À LUI, IL M'A AUTORISÉ À EMPLOYER LA FORCE !...

OSHIKAGA A TOUJOURS SES VILAINES MANIÈRES !...

OH ! C'EST TOI, PIMIKO ?

JE N'ESPÉRAIS PAS TE TROUVER DANS CE NID D'AIGLE. MON SIRE OSHIKAGA AVAIT DONNÉ DES ORDRES À TOUS SES SAMURAÏS POUR TE RAMENER À LUI, SI JAMAIS, PAR HASARD, L'UN D'EUX CROISAIT TA ROUTE...

JE N'AI PAS L'INTENTION DE TE SUIVRE, CRÉTIN

PERSONNE NE TE DEMANDE TON AVIS, PIMIKO ! LE SIRE OSHIKAGA A DIT QU'ON TE RAMÈNE À LUI VIVANTE OU **MORTE !**

C'EST UNE TRÈS BONNE ÉPÉE, D'UN PRIX INESTIMABLE, CÉLÈBRE DANS TOUT LE PAYS. TOSHI LA POSSÉDAIT DEPUIS PLUS DE 20 ANS ET IL ME L'A CONFIÉE...

SA LAME EST-ELLE AUSSI EFFILÉE QUE LA MIENNE ?

NOUS POURRONS JUGER...

JE NE VOUS DÉRANGE PAS ?

TOSHI !? DÉCIDÉMENT, CE MONASTÈRE EST À LA CROISÉE DE TOUS LES CHEMINS !

EN TON ABSENCE, J'AI PU RETROUVER LES FAVEURS DU SIRE OSHIKAGA ET DE SON GÉNÉRAL, LE MYÔSHU KOZO. AUSSI, NE TE METS PAS EN TRAVERS DE MA ROUTE...

JE NE ME METTRAI PAS EN TRAVERS DE TA ROUTE SI TU RENONCES À IMPORTUNER PIMIKO...

UN DUEL ENTRE NOUS NE SERVIRAIT À RIEN QU'À TE RENDRE RIDICULE...

CE DUEL ME DÉPLAÎT AUTANT QU'À TOI, VIEUX FRÈRE, MAIS JE NE VEUX PAS QU'ON PUISSE JAMAIS DIRE QUE LE GRAND KAÏ A RECULÉ !...

PAR LES TRIPES DU BUDDHA ! TU M'AS DÉSHONORÉ !

IL M'AURAIT ÉTÉ FACILE DE FRAP- PER PLUS BAS. C'EST UN AVERTISSEMENT. CE SERA LE DERNIER !

CRAK

17

SI TU ME MÉPRISES TROP POUR ME COUPER LA TÊTE, JE TE DEMANDE TRÈS HUMBLEMENT LA PERMISSION DE LA COUPER MOI-MÊME !...

PERMISSION REFUSÉE ! J'AI ENCORE BEAUCOUP TROP BESOIN DE TA CARCASSE ET DE TON AMITIÉ.

QUAND VOUS AUREZ FINI VOS DISCOURS À LA NOIX, PEUT-ÊTRE POURRA-T-ON SONGER À SE METTRE EN ROUTE !

TU AS CHANGÉ D'AVIS ?

OUI, TOSHI, À QUOI BON CONTINUER CE JEU ? JE VIENS ENFIN D'ADMETTRE QUE TCHEN QIN ÉTAIT MORT. EN DÉPIT DE MES RÊVES, IL N'Y A PLUS DE PAIX POUR MOI DANS LA MONTAGNE NI NULLE PART DANS CE MONDE.

MAIS, PIMIKO. BUDDHA...

EN VÉRITÉ, VIEUX FOU, JE ME MOQUE DU BUDDHA...

...ET TOUTES NOS CONVERSATIONS N'ÉTAIENT QU'UN PRÉTEXTE POUR TROMPER MON ENNUI...

LE SIRE OSHIKAGA NE NOUS LÂCHERA PAS. QUE ÇA NOUS PLAISE OU NON.

JE SENS DE NOUVEAU L'ODEUR DES HOMMES. MAIS CETTE FOIS, ELLE DESCEND VERS NOUS...

C'EST ÉTRANGE ! IL ME SEMBLE QUE J'AI TRÈS BIEN CONNU, JADIS, TOUS CES VISAGES. LE PREMIER SE NOMME KAÏ, ET LE SECOND TOSHI. QUANT À LA JOLIE FEMME...

NE CHERCHE PAS, MIZU ! TU DOIS TE SOUVENIR QUE TA MÉMOIRE EST MORTE !...

NE TE MÊLE PAS DE ÇA, ODA, ET CONTENTE-TOI DE CE QUE JE TE DONNE !

TU M'AS MENTI, MARA. TU ES TOUJOURS AMOU-REUSE DE CE GRAND LAPIN ! TU CONNAIS SON PASSÉ...

TOSHI, NOUS AVONS TOUJOURS EU PEU DE SECRETS, TOI ET MOI, ET NOUS NOUS SOMMES TOUJOURS BIEN AIMÉS MALGRÉ LES DIFFÉRENCES FLAGRANTES DE NOS ASPECTS ET DE NOS CARACTÈRES.

OÙ VEUX-TU EN VENIR ?

NOTRE SIRE OSHIKAGA EST UN MAUVAIS CHEF. TU POURRAIS DE-VENIR LE DAIMYÔ À SA PLACE. JE RÉPONDS DE LA PLUPART DES AUTRES SAMURAÏS QUI SONT PRÊTS À T'AIDER À LE DESTITUER...

CE QUE TU ME PROPOSES EST UNE TRAHISON, ET JE NE VEUX PAS EN ÉCOUTER DAVANTAGE !

?!?!....

DES NINJAS !

CHARGEONS CES MISÉRABLES !

NON, KAÏ !

CE N'EST PLUS UN COMBAT QUI NOUS CONCERNE !

TOUT HOMME EST UN PÈLERIN QUI MARCHE VERS LUI. IL NE SE SOUCIE QUE DE LUI. IL EST L'OBJET DE SA PROPRE QUÊTE...

NOUS VOICI PARVENUS AU TERME DU VOYAGE. LES GENS DE NICHIREN NE NOUS REFUSERONT PAS LEUR HOSPITALITÉ...

QUEL COMBAT NOUS CONCERNE?

CELUI QUE NOUS DEVONS LIVRER CONTRE NOUS-MÊMES...

VOUS JOUEZ DE MAL-CHANCE: LE MAÎTRE NICHIREN VIENT JUSTE DE PARTIR...

REVIENDRA-T-IL BIENTÔT?

HÉLAS, LES VOIES DU BUDDAH SONT IMPÉNÉTRABLES! QU'ATTENDEZ-VOUS DE NOUS?

LE REPOS ET LA PAIX...

JE N'AI PLUS FAIM. JE VAIS MARCHER AVEC MIZU...

JE TE DEMANDE PARDON POUR MES VILAINES PAROLES. JE N'EXPRIMAIS PAS MES VÉRITABLES SENTIMENTS...

ÇA N'A PAS D'IMPORTANCE...

REGARDE CES ÉTOILES, MIZU: ELLES SONT À NOUS !

TU M'AS DÉJÀ DIT ÇA UNE AUTRE NUIT, MARA...

ET QUE FAIS-TU D'ODA?

ODA N'EXISTE PAS ICI-MÊME, AVEC NOUS, DANS LE MOMENT PRÉSENT! SEUL LE PRÉSENT EXISTE...

IL SE FAIT TARD, ODA. TU AS DÉJÀ TROP BU...

SANS DOUTE, MAIS JE N'AI PAS L'INTENTION DE M'ARRÊTER. CROIS-TU QUE MARA ET MIZU, EN CE MOMENT...

IL N'Y A PAS DE DANGER: MIZU A VOYAGÉ DANS LE ROYAUME DES MORTS.

IL Y A RENCONTRÉ LA MAGICIENNE KWANNON, LA GRANDE ILLUSIONNISTE, ET MIZU L'A AIMÉE À EN PERDRE LA MÉMOIRE*...

IL CRAINT DE LA TRAHIR S'IL COUCHE AVEC MA MÈRE...

SI TU CRIES, TU ES MORT !

PIPP....

VOIR "LE VENTRE DU DRAGON."

21

OÙ EST TCHEN QIN ?

TCHEN QIN ?

MIZU, SI TU PRÉFÈRES !...

TU N'ES PAS UN LAPIN. J'EN SUIS SÛRE, MAINTENANT : UN LAPIN NE SAIT PAS AIMER DE CETTE MANIÈRE...

MIZU DANSE SUR MARA. LE VENT SOUFFLE DANS SON CRÂNE UNE ÉTRANGE MÉLODIE QU'IL EST LE SEUL À ENTENDRE. MIZU SAIT ÉCOUTER LES ESPRITS DES KAMIS. IL EST KAMI KAZE.

IL EST LE VENT DES DIEUX...

CRIAK

CE N'EST PLUS UN SECRET. LE TIGRE A RENONCÉ À SE DISSIMULER. IL A DORÉNAVANT ASSEZ D'HOMMES POUR LANCER UNE ATTAQUE VÉRITABLE CONTRE LA FORTERESSE DU SIRE OSHIKAGA !...

LE TIGRE AVAIT RAISON DE SE MÉFIER DE TOI, TCHEN QIN : TU N'ES PAS UN ADVERSAIRE ORDINAIRE !...

LE TIGRE ? C'EST DONC LE TIGRE QUI A ARMÉ VOS BRAS ?

DIS-MOI OÙ IL SE CACHE !!!

QUAND COMPTE-T-IL AGIR ?

DEMAIN, À L'HEURE DU SINGE.*

29

ALLONS VITE RETROUVER ODA ET SEI, MARA. J'AI PEUR QU'IL NE LEUR SOIT ARRIVÉ UN MALHEUR...

JE LES VENGERAI, MARA. JE T'EN FAIS LA PROMESSE!...

NON, MIZU! IL Y A DÉJÀ EU TROP DE SANG...

JE NE SUIS PLUS MIZU, MARA : JE SUIS TCHEN QIN. JE ME SOUVIENS DE TOUT. J'ÉTAIS UN SAMURAÏ DU SIRE OSHIKAGA...

LE SANG APPELLE LE SANG, LE COMBAT EST LE PÈRE ET LE ROI DE L'UNIVERS. IL A CRÉÉ LES DIEUX. IL A CRÉÉ LES HOMMES. IL A RENDU LES UNS ESCLAVES, LES AUTRES LIBRES...

MAIS TU NE POURRAS PAS VAINCRE TOUS LES DÉMONS! CE N'EST PLUS UN COMBAT, TCHEN QIN, C'EST UN SUICIDE!...

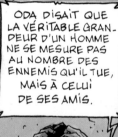

L'AVENIR LE SAURA! ODA DISAIT QUE L'HOMME SAGE QUI DOIT MOURIR NOYÉ PRÉFÈRE SE NOYER VITE...

SI JE MEURS, CE N'EST RIEN, MAIS SI JE NE MEURS PAS, ALORS, TU SAURAS CE QUE JE VAUX EN TANT QU'HOMME. TU ME DEVRAS TON RESPECT, TON ADMIRATION...

ODA DISAIT QUE LA VÉRITABLE GRANDEUR D'UN HOMME NE SE MESURE PAS AU NOMBRE DES ENNEMIS QU'IL TUE, MAIS À CELUI DE SES AMIS.

MAIS L'HOMME ENCORE PLUS SAGE RESTE SUR LA TERRE FERME!...

JE NE PARLAIS PAS DE GRANDEUR, MARA, MAIS DE DIGNITÉ ET D'HONNEUR.

TANT QUE DURE L'HONNEUR, L'HOMME VIT. SON HONNEUR DISPARU, IL EST OUBLIÉ, MORT!...

JE SUIS MORT TROP LONGTEMPS !...

JE NE T'OUBLIERAI PAS, TCHEN QIN. QUOI QU'IL ARRIVE.

JE VEUX ME MESURER PAR RAPPORT À MOI-MÊME, NON PAR RAPPORT AU TIGRE. MES SOUVENIRS DU PASSÉ NE ME SUFFISENT PAS...

JE VOUS DEMANDE TRÈS HUMBLEMENT MAIS TRÈS OFFICIELLEMENT LA PERMISSION DE METTRE FIN À MES JOURS, SIRE : TOSHI EST MON AMI. IL VOUS A INSULTÉ EN VOUS ABANDONNANT ET C'EST UN PEU MA FAUTE...

JE VEUX AUSSI COMPRENDRE LE POUR-QUOI DU PRÉSENT ET DE TOUTE CETTE HORREUR...

J'AI ESSAYÉ DE LE CORRIGER DE SA FOLIE MAIS JE NE SUIS PAS PARVENU À LUI COUPER LA TÊTE. C'EST LUI QUI A TRIOMPHÉ DE MOI. J'AI MANQUÉ DE FORCE ET DE COURAGE ET J'AI DÉÇU VOTRE CONFIANCE. LAISSEZ-MOI ME TUER !

NON, KAÏ ! JE T'INTERDIS DE TE FAIRE SEPPUKU !

TU ES UN CHEVAL AVEC UNE CERVELLE DE CHEVAL, MAIS J'AI BESOIN DE CHEVAUX !...

OUI, SIRE. EXCUSEZ-MOI.

QUANT À TOI, PIMIKO, C'EST UN AUTRE PROBLÈME...

PIMIKO A UNE SENSIBILITÉ TRÈS VIVE ET UN ESPRIT D'INDÉPENDANCE PEU COMMUN POUR UNE JEUNE FILLE, SEIGNEUR. POUR TOUTES CES QUALITÉS QUI COMPENSENT SES DÉFAUTS, VOUS DEVEZ PARDONNER SON INFIDÉLITÉ...

TCHEN QIN EST MORT, DIABLESSE !

ELLE ÉTAIT AUTREFOIS MA PUTAIN PRÉFÉRÉE. ELLE CONNAÎT PARFAITEMENT TOUS LES ARTS DE L'AMOUR MAIS PERSONNE N'A JAMAIS PU LUI FAIRE CONFIANCE AILLEURS QUE SUR LE TATAMI *!...

PERSONNE, SIRE, SAUF TCHEN QIN !

IL M'A FALLU DU TEMPS POUR L'ADMETTRE, SEIGNEUR. C'EST POURQUOI JE SUIS PARTIE...

JE NE T'AI PAS ENCORE INTERROGÉ, VIEUX SINGE ! TU PARLERAS QUAND JE T'EN AURAI DONNÉ L'ORDRE. TA PROTÉGÉE NOUS A DÉJÀ MILLE FOIS PROUVÉ QU'ELLE ÉTAIT ASSEZ GRANDE POUR SE DÉFENDRE SEULE. C'EST UNE CHATTE SAUVAGE !

* LE LIT.

TU M'AS FAIT DE LA PEINE...

J'ÉTAIS LASSE DE N'ÊTRE QU'UNE POUPÉE D'AMOUR ET J'AVAIS OUBLIÉ MON DEVOIR PRIMORDIAL QUI EST DE VOUS SERVIR AVEUGLÉMENT. JE NE MÉRITE AUCUNE EXCUSE POUR MA FAIBLESSE. FAITES DE MOI CE QU'IL VOUS PLAIRA, PRENEZ MA TÊTE !...

D'OÙ TE VIENT L'IDÉE SAUGRENUE QUE TA TÊTE PUISSE M'INTÉRESSER, PIMIKO ? QU'EN FERAIS-JE, SANS TOUT LE RESTE DE TON CORPS ? ES-TU PRÊTE À SERVIR ENCORE ?

JE N'AI PAS D'AUTRE CHOIX. UNE COURTISANE D'ÉLITE DOIT SAVOIR CONTRÔLER SES HUMEURS NÉGATIVES ET SA MÉLANCOLIE...

TRÈS BIEN. NOUS VERRONS CELA. POUR LE MOMENT PRÉSENT, JE VEUX QU'ON ME LAISSE SEUL AVEC LE VIEUX TOSHI.

POURQUOI M'AS-TU QUITTÉ ?

JE VOUS L'AI DIT, SEIGNEUR : J'ÉTAIS ÉCŒURÉ PAR TROP DE SANG RÉPANDU. LES PREMIERS KÔOT-SUNINS* QUE TU AS FAIT MASSACRER ÉTAIENT INNOCENTS DES CRIMES DU TIGRE !

POUR LE MOMENT, CEUX-LÀ DORMENT D'UN SOM-MEIL PROFOND, MAIS LES AUTRES SE SONT ÉVEILLÉS À LA COLÈRE.

BAH ! DE PAUVRES CULS-TERREUX QUI NE SAVENT PAS SE BATTRE ! ILS ONT EU BEAUCOUP TROP DE CHANCE JUSQU'À PRÉSENT, MAIS LA CHANCE VA TOURNER...

LE TIGRE N'EST PAS ENTOURÉ QUE DE PAYSANS. LE TIGRE EST AIDÉ DE SAMURAÏS SANS HONNEUR, DES TUEURS MERCENAIRES. CETTE AFFAIRE EST TROP BIEN PRÉPARÉE POUR N'ÊTRE QU'UNE SIMPLE RÉVOLTE !...

JE RÉPÈTE MA QUESTION : QUI SERAIT ASSEZ RICHE POUR LOUER LES SERVICES D'UNE BANDE DE NINJAS OU DE RONINS-TUEURS IMPORTÉS D'AUTRES ÎLES ? QUI AURAIT INTÉRÊT À SEMER LA DISCORDE ?

LE SIRE KOZO PEUT-ÊTRE...

AVANT D'ÊTRE PROMU GÉNÉRALIS-SIME DE VOTRE ARMÉE, KOZO ÉTAIT UN MYÔSHU RESPONSABLE DE LA GESTION D'UNE PETITE PARTIE DE VOS TERRES, MAIS IL ÉTAIT DÉJÀ UN MAUVAIS ADMINISTRATEUR. IL EXTORQUAIT À VOS PAYSANS DES IMPÔTS ILLÉGAUX. IL LEUR PRENAIT 75 % DES PARTS DE RIZ ET DES RÉCOLTES ET NE VOUS EN VERSAIT QUE LA MOITIÉ...

QUOI D'AUTRE ?

SON IMMORALITÉ NE CONNAISSAIT PAS DE BORNES. NI SA FÉROCITÉ. ON DIT QU'IL A COUCHÉ AVEC SA PROPRE MÈRE À L'ÂGE DE 13 ANS, PUIS QU'IL L'A FAIT ÉCORCHER VIVE POUR LA PUNIR DE SES DÉBAUCHES !...

C'EST DÉPLORABLE, EFFEC-TIVEMENT ! MAIS LES DRAMES DE FAMILLE DE KOZO NE SONT PAS UNE RAISON SUFFISANTE POUR SALIR SA MÉMOIRE. QU'AS-TU DÉCOUVERT D'AUTRE QUI PUISSE LUI FAIRE DE L'OMBRE ?

* GENS QUELCONQUES.

KOZO! JE CROYAIS QUE LE TIGRE T'AVAIT MANGÉ!

JE N'ÉTAIS QUE PRISONNIER...

ET TU T'ES ÉCHAPPÉ? C'EST UNE EXCELLENTE CHOSE! TOSHI ET MOI PARLIONS PRÉCISÉMENT DE TOI...

JE SAIS. J'AI ENTENDU UNE PARTIE DU DISCOURS!

ÉCOUTE-MOI, TOSHI: NOUS SOMMES TOUS DEUX DES HOMMES, ET NOUS AYONS LE MÊME GOÛT POUR LES AUTRES HOMMES. POURQUOI NE PAS ENTER-RER NOTRE DIFFÉREND LE TEMPS D'UNE RENCONTRE SUR LE TATAMI?...

ON PEUT ÊTRE UNE TAPETTE SANS AIMER TOUS LES HOMMES!...

JE CROIS QUE TA RÉSURRECTION EST UNE INSULTE IMPARDONNABLE, NON SEULEMENT ENVERS TON DAÏMYÔ MAIS ENVERS TOUS TES COMPAGNONS D'ARMES ET ENVERS TOI-MÊME!...

CHAQUE MOT QUE PRONONCE TA BOUCHE EST UN POISON! LE POISON EST L'ARME STUPIDE D'UN LÂCHE!...

VIEUX FOU PRÉSOMPTUEUX! ÉCONOMISE TON SOUFFLE PLUTÔT QUE D'ESSAYER DE ME FAIRE LA MORALE...

JE NE ME TAIRAI PLUS, KOZO! TES COMBATS NOUS COUVRENT DE HONTE! SI TU VEUX TE BATTRE VRAIMENT, PEUT-ÊTRE TROUVE-RAS-TU BIENTÔT L'OCCASION DE TE CONFRONTER AVEC DE VRAIS GUERRIERS, PAS AVEC DE SIMPLES PAYSANS!...

DE VRAIS GUERRIERS, TOSHI? LAISSE-LES RAMPER HORS DE LEURS TROUS ET VENIR DEVANT MOI! MAIS TU PENSAIS À TOI, SANS DOUTE? TU VEUX TÂTER DE MON SABRE? QUAND DONC ET OÙ? POURQUOI PAS MAINTENANT ET ICI MÊME?

JE NE ME BATTRAI PAS. JE SUIS TON ENNEMI, MAIS PAS TON ASSASSIN!...

D'AUTRES QUE MOI MÉRITENT CERTAINE-MENT LE PRIVILÈGE DE TE COUPER LA TÊTE!

IL EST TROP TARD, TOSHI, CAR TU EN AS TROP DIT! TU AS DÉFINITIVEMENT SIGNÉ TON ARRÊT DE MORT...

30

ADIEU, PAUVRE NAÏF! RENDEZ-VOUS EN ENFER!

WHICK!

TU M'AS TUÉ, TOSHI!

UN AMI DE TOUJOURS! LE DERNIER EN QUI JE POUVAIS AVOIR CONFIANCE!

IL N'Y A PLUS D'AMOUR NULLE PART DANS L'ÎLE SADO!

JE DEVRAIS T'ÉTRANGLER...

VOUS OUBLIEZ, SEIGNEUR, QUE JE SUIS GÉNÉRAL EN CHEF DE VOTRE ARMÉE. UN COMBAT ENTRE NOUS, QUELQUE SOIT LE MEILLEUR, FERAIT MAUVAIS EFFET SUR LE MORAL DES TROUPES

EN VÉRITÉ, JE NE ME SUIS PAS ÉCHAPPÉ. C'EST LE TIGRE LUI-MÊME QUI M'A LIBÉRÉ POUR ME CHARGER D'AMBASSADE...

LE TIGRE EST CONVAINCU QUE TA TÊTE NE VAUT PLUS GRAND CHOSE SUR LE MARCHÉ, ET IL N'A PAS ENVIE DE GASPILLER SON TEMPS POUR TE DONNER L'ASSAUT...

J'ESPÈRE QUE JE PARVIENDRAI À TE CONVAINCRE DE RENONCER À CE COMBAT PERDU D'AVANCE.

TU PEUX FUIR PAR LA MER ET ALLER TE FAIRE OUBLIER DANS UNE AUTRE ÎLE, OU BIEN, SI TU PRÉFÈRES, REJOINDRE LA CAPITALE POUR DEVENIR UNE DES POTICHES DE L'EMPEREUR.

AS-TU PU VOIR QUI SE CACHAIT DERRIÈRE LE MASQUE?

NON... LA FORCE DU TIGRE RÉSIDE DANS SON MYSTÈRE...

UNE JONQUE T'ATTEND AVEC UN ÉQUIPAGE D'HOMMES SÛRS..

...QUI ME DÉCOUPERONT EN MORCEAUX AUSSITÔT QUE NOUS SERONS AU LARGE!...

C'EST UN RISQUE À COURIR. MAIS LE TIGRE SE SOUCIE TROP PEU DE TA SANTÉ POUR SE DONNER LE MAL DE TRAHIR SA PAROLE.

TON AMBASSADE, KOZO, NE M'A PAS CONVAINCU. JE N'AIME PAS BEAUCOUP L'EAU. JE PRÉFÈRE AFFRONTER LE TIGRE SUR LA TERRE FERME...

31

TES DÉSIRS SONT DES ORDRES. TANT QUE TU CONSERVES TA TÊTE SUR TES ÉPAULES, TU ES TOUJOURS LE MAÎTRE ET JE SUIS TON VALET...

JE M'EN VAIS RAS-SEMBLER TES DERNIERS SAMURAÏS ET CHARGER SABRE AU CLAIR L'ARMÉE DES CULS-TERREUX QUI CAMPE DEVANT TES MURS AVANT QU'ELLE NE TE CHARGE...

ENSUITE, JE M'EN IRAI JUSTIFIER DE MES ACTES AU BUDDHA DES ENFERS. TU NE TARDERAS PAS BEAUCOUP À M'Y REJOINDRE ET NOUS POURRONS REPRENDRE LA CONVERSATION!

QUEL MONSTRUEUX GÂCHIS!...

C'EST LA TENTE DU TIGRE ?

OUI. LE TIGRE EST SORTI VISITER LE CHAMP DE BATAILLE. NOUS VENONS DE REMPORTER UNE TRÈS GRANDE VICTOIRE...

OSHIKAGA N'EST PAS TOMBÉ DANS LE PIÈGE GROSSIER. IL A REFUSÉ DE QUITTER SA FORTERESSE...

MAIS TOUS SES SAMURAÏS ONT ÉTÉ DÉCIMÉS...

PAS TOUS : OSHIKAGA EN A CONSERVÉ SEPT QU'IL AVAIT AFFECTÉ À SA GARDE PERSONNELLE, SOUS LES ORDRES DE KAÏ.

KAÏ N'EST QU'UNE BRUTE ÉPAISSE. J'EN FERAI MON AFFAIRE...

MAIS IL Y A AUSSI LA JOLIE PIMIKO. ELLE EST PLUS DANGE-REUSE QU'UNE CHATTE EN FURIE QUI CRAINT POUR SES CHATONS !...

UNE CHATTE, MÊME EN FURIE, NE PEUT RIEN CONTRE UN TIGRE !...

ET PUIS, DE TOUTE MANIÈRE, PIMIKO NE COMBATTRA PAS POUR SON SEIGNEUR : ELLE N'A PLUS AUCUN INTÉRÊT DANS CETTE INTRIGUE ET SAURA SE SOU-METTRE À LA LOI DU PLUS FORT...

QUAND LANCERONS-NOUS L'ATTAQUE ?

BIENTÔT. À L'HEURE DU RAT, QUAND LA NUIT SERA NOIRE...

?!?!
....

QU'EST CE
QUE C'EST
QUE CE
CADAVRE !?

J'EN SUIS
LE RESPONSABLE...

QUI
ES-TU ?

JE VOULAIS
TE POSER
LA MÊME
QUESTION...

TU AS TRICHÉ EN NE
DONNANT À TON SEIGNEUR
QU'UNE FRACTION DÉRISOIRE
DES IMPÔTS COLLECTÉS POUR
LE CONTRAINDRE À PRENDRE
DES MESURES ÉNERGIQUES...

...MAIS JE CROIS
BIEN AVOIR DEVINÉ
LA RÉPONSE...

TU ES CELUI PAR
QUI LA FARCE
A COMMENCÉ !...

LES PAUVRES KÔOTSUNINS
DONT TU AVAIS LA CHARGE
N'ONT JAMAIS OSÉ FAIRE
LA MOINDRE DIFFICULTÉ
POUR PAYER LEUR TRIBUT
AU SIRE OSHIKAGA...

C'EST **TOI** QUI AS MONTÉ
LA PREMIÈRE EMBUSCADE
OÙ J'AI FAILLI MOURIR, ET
TU AS LAISSÉ ACCUSER
LES VILLAGEOIS...

84

TU AS LANCÉ CONTRE EUX DE SANGLANTES RE- PRÉSAILLES POUR CRÉER, DANS L'ÎLE, UN CLIMAT D'INSURRECTION...

ET À PRÉSENT, TU TE FAIS APPELER LE TIGRE EN TE PRÊTANT DE NOBLES AIRS DE JUSTICIER, MAIS TU TE MOQUES BIEN DU MALHEUR DES POUSSE- CAILLOUX!

TU TE SERS D'EUX POUR INVESTIR LA FORTERESSE DU SIRE OSHIKAGA ET LUI PRENDRE SA PLACE!...

C'EST UN PLAN RÉPU- GNANT QUI NE POURRAIT PAS PORTER D'AUTRE SIGNATURE QUE LA TIENNE, FACE DE RAT!...

TU N'AS PAS SIMPLEMENT RETROUVÉ TA MÉMOIRE, TCHEN QIN, MAIS AUSSI TOUTE TON ARROGANCE!...

LES HOMMES QUE TU AVAIS CHARGÉS DE ME TUER M'Y ONT UN PEU AIDÉ EN M'OBLIGEANT À RÉVEILLER MES VIEUX RÉFLEXES...

POURQUOI N'ES- TU PAS MORT?

CE N'ÉTAIT PAS MON HEURE!

ET PUIS J'AI UN DEVOIR SACRÉ À ACCOMPLIR...

...JE SUIS LE SEUL CAPABLE DE M'OPPOSER À TOI EN COMBAT SINGULIER!...

AU SECOURS!... À MOI!...

!?!?....

35

VOUS ARRIVEZ TROP TARD. J'AI ÉTÉ CONTRAINT DE FAIRE LE SERVICE MOI-MÊME...

IL NE VOUS RESTERA PLUS QU'À DÉBARRASSER...

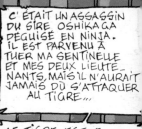

C'ÉTAIT UN ASSASSIN DU SIRE OSHIKAGA DÉGUISÉ EN NINJA. IL EST PARVENU À TUER MA SENTINELLE ET MES DEUX LIEUTE_ NANTS, MAIS IL N'AURAIT JAMAIS DÛ S'ATTAQUER AU TIGRE...

LE TIGRE EST LE PLUS FORT! IL EST INVULNÉRABLE!

TCHEN QIN EST VRAIMENT MORT, ET JE N'AI PLUS MÊME LE COURAGE DE M'EN DÉFENDRE...

TU ES BEAUCOUP TROP BELLE POUR PARLER DE CETTE MANIÈRE. UN JOUR, TU OUBLIERAS...

...PLUS RIEN, DORÉNAVANT, N'A D'IMPORTANCE POUR MOI...

LES DERNIERS SAMURAÏS DU SIRE OSHIKAGA SONT EN SI PETIT NOMBRE QU'ON POURRAIT LES COMPTER SUR LES DOIGTS D'UNE MAIN...

MAIS CETTE POIGNÉE-LÀ EST ENCORE ABRITÉE PAR DE SOLIDES REMPARTS!

BAH! NOUS NE MANQUONS PAS D'HOMMES!...

QU'ATTENDONS_ NOUS, SEIGNEUR?

JE VEUX TENTER UNE DERNIÈRE NÉGOCIATION...

CETTE NOUVELLE STRATÉGIE NE VOUS RESSEMBLE PAS, SEIGNEUR TIGRE. J'AIMERAIS VOUS PARLER EN PRIVÉ...

JE SUIS UN PEU TROUBLÉ : VOTRE VOIX A CHANGÉ ET VOUS N'AVEZ PLUS TOUT À FAIT LE MÊME REGARD...

AVANT DE LANCER SON ARMÉE, LE TIGRE DÉSIRE UNE ENTREVUE AVEC LE SIRE OSHIKAGA...

TU ES UN PETIT PEU TROP MALIN, MON AMI...

JE NE SUPPORTE PAS QU'ON OSE ME CONTRE-DIRE !

OSHIKAGA A RÉPONDU QU'IL REFUSAIT DE DISCUTER AVEC UN BRIGAND DE BAS ÉTAGE ET QU'IL ALLAIT SE COUCHER. IL NOUS A CONSEILLÉ À TOUS D'EN FAIRE AUTANT !

IL NE ME RESTE DONC PLUS QU'À FORCER SA PORTE.

MAIS, SEIGNEUR...

PLUS UN MOT !

ATTENDEZ MON RETOUR !...

37

SEIGNEUR OSHIKAGA...

JE NE VEUX RIEN ENTENDRE !

IL EST VENU SANS ARMES ! ABATS-LE COMME UN CHIEN !

NON, SIRE OSHIKAGA ! ... TA GUERRE N'EST PLUS LA MIENNE ...

IL FAUT QUE TU M'ÉCOUTES ...

JE CONNAIS CETTE VOIX ...

ALERTE !

?!?!
....

39

LE TIGRE S'EST JETÉ DANS LA GUEULE DU LION! IL EST FAIT COMME UN RAT!...

C'EST UNE DÉLOYAUTÉ! ...JE SUIS VENU VOLONTAIREMENT, SEUL ET SANS ARMES, DANS LE BUT D'ÉVITER QUE TROP DE SANG NE SOIT ENCORE VERSÉ DE PART ET D'AUTRE!...

LES SERFS ET LES ESCLAVES ASPIRENT À OBTENIR LEUR STATUT D'HOMMES LIBRES!...

JE ME REFUSE À EN ÉCOUTER DAVANTAGE! TU ES UN HORS-LA-LOI!

IL NE FAUT PAS, SEIGNEUR, TE FIER AUX APPARENCES... JE NE SUIS PAS LE TIGRE!...

J'AI TRIOMPHÉ DU TIGRE EN COMBAT SINGULIER, ET J'AI COIFFÉ SON MASQUE POUR ME SUBSTITUER AU CHEF DE LA RÉVOLTE...

LES TORTS SONT PARTAGÉS, MAIS LES GRAINES DE LA DISCORDE ONT ÉTÉ SEMÉES, QUI PORTERONT LEURS FRUITS, QUE ÇA NOUS PLAISE OU NON...

NOTRE MONDE NE SERA PLUS JAMAIS COMME AVANT...

KOZO ÉTAIT LE TIGRE!

JE REGRETTE, PIMIKO: JE NE SUIS PLUS TCHEN QIN... JE SUIS MIZU, DU NOM QUE MARA M'A DONNÉ...

SI TU N'ES PLUS TCHEN QIN, SI TU N'ES PLUS MON FIDÈLE SAMURAÏ D'ÉLITE, MON JOUET PRÉFÉRÉ, ALORS, TU ES UN TRAÎTRE!

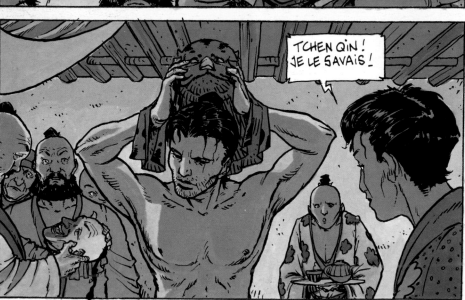

TCHEN QIN! JE LE SAVAIS!

40

LES TRAÎTRES DOIVENT ÊTRE CHÂTIÉS !

AVANT QU'ON ME PUNISSE POUR MA DÉLOYAUTÉ, JE REVENDIQUE LE DROIT D'ÊTRE ENTENDU PAR TOUS EN PROCÈS RÉGULIER !...

EN TRAHISSANT TON MAÎTRE, TU AS PERDU TES DROITS !...

TUEZ-LE ! C'EST UN **ORDRE** !

JE VOUS DEMANDE PARDON, SEIGNEUR OSHIKAGA, MAIS TCHEN QIN ÉTAIT MON ANCIEN COMPAGNON D'ARMES...

JE REFUSE DE ROUGIR MON SABRE AVEC SON SANG AVANT QU'IL AIT EXPRIMÉ TOUTES SES OPINIONS...

JE REFUSE ÉGALEMENT !

TOUS DES PLEUTRES ! DES MAUVIETTES ! UN RAMASSIS DE FEMMELETTES ! IL NE RESTE QUE TOI, KAÏ !

JE REGRETTE, SIRE DAIMYÔ, MAIS JE NE SUIS PAS MEILLEUR QUE MES CAMARADES ...

JE FERAI LE TRAVAIL MOI-MÊME !

NON, SIRE !

JE NE VOUS LAISSERAI PAS COMMETTRE CETTE LÂCHETÉ ! TCHEN QIN VEUT LA JUSTICE, ET SA NAISSANCE LUI DONNE LE DROIT DE SE DÉFENDRE...

ES-TU D'ACCORD, "MIZU" ?

JE LE SUIS, S'IL N'EXISTE AUCUN AUTRE MOYEN...

C'EST VRAI ! OSHIKAGA DOIT ACCEPTER LE DUEL POUR TRANCHER LE DIFFÉREND ...

C'EST LA SEULE SOLUTION !...

J'ACCEPTE CE DUEL. MAIS, EN TANT QU'OFFENSÉ, J'AURAI LE CHOIX DES ARMES...

41

LE SIRE OSHIKAGA EST REMPLI DE FINESSE DERRIÈRE LE PARAVENT DE SA CHAIR BOURSOUFLÉE. C'EST UN GUERRIER SUMO ROMPU À TOUTES LES DISCIPLINES DU CORPS À CORPS...

TCHEN QIN N'A AUCUNE CHANCE!...

DOIS-JE SERRER DAVANTAGE ?

NON, JE M'AVOUE VAINCU. MAIS JE NE COMPRENDS PAS COMMENT TU AS PU OSER TE FROTTER À MOI !...

43

POURQUOI NE LUI AS-TU PAS BRISÉ LE COU, MIZU? TU EN AVAIS LE DROIT...

À PRÉSENT, TU DOIS L'ACHEVER AVEC LE SABRE...

C'EST TON **DEVOIR**, MIZU...

KAÏ DIT VRAI: C'EST LA RÈGLE...

AU DIABLE LES RÈGLES! RELÈVE-TOI, OSHIKAGA, JE NE VEUX PAS PRENDRE TA VIE!...

MON VRAI TRIOMPHE N'EST PAS DE T'AVOIR VAINCU PAR LA FORCE, MAIS DE PARVENIR À TE CONVAINCRE PAR MON DISCOURS. LES TEMPS CHANGENT, DAIMYÔ. CERTAINES TRADITIONS SONT PESANTES, QU'IL CONVIENT D'ALLÉGER...

AUCUN HOMME, DU PLUS PAUVRE PAYSAN À L'EMPEREUR LUI-MÊME, N'A LE DROIT DE VOLER L'EXISTENCE D'UN AUTRE HOMME, NI DE LE COUVRIR DE CHAÎNES...

... NI DE SE SERVIR DE SA SUEUR COMME ON SE SERT DE CELLE D'UN BŒUF POUR TIRER LA CHARRUE ET LABOURER LA TERRE...

IL FAUT À L'HOMME SA **DIGNITÉ** POUR GOÛTER LES JOIES DU TRAVAIL. IL FAUT À L'HOMME L'**INDÉPENDANCE** POUR CONNAÎTRE LES VERTUS DE L'EFFORT!

TU DOIS COMPRENDRE CES CHOSES, DAIMYÔ! TU DOIS RECONNAÎTRE TON ERREUR ET ACCEPTER D'EN PAYER LE PRIX!

TU DOIS APPRENDRE À NÉGOCIER AVEC LES PLUS PETITS QUE TOI, POUR GOUVERNER AVEC SAGESSE EN INSTAURANT DES LOIS PLUS JUSTES!...

44

IL FAUT ÉQUILIBRER LES FORCES, PARTAGER LES PEINES ET LES JOIES...

KOZO ÉTAIT UN HOMME MAUVAIS QUI ENTRETENAIT LA DISCORDE POUR ACCROÎTRE SA PROSPÉRITÉ. IL EN EST D'AUTRES QUI VIENDRONT. TU DOIS APPRENDRE À LES CONFONDRE.

TU DOIS APPRENDRE À LES COMBATTRE POUR PRÉSERVER TOUS TES SUJETS DE LEUR INFLUENCE DÉTESTABLE...

TU M'AS RENDU LA VIE QUE TU M'AVAIS GAGNÉE ET TU M'AS OBLIGÉ À COMPRENDRE TES MOTS, QUI SONT COMME UN POÈME. MAIS JE NE SUIS PAS DIGNE DU RÔLE QUE TU ME CONFIES...

JE NE SUIS PAS NON PLUS DIGNE DE TE SUPPLIER DE M'OFFRIR LE REPOS. MAIS KAÏ S'EN CHARGERA.

C'EST UN HONNEUR, DAIMYÔ.

NE M'APPELLE PLUS DAIMYÔ. TUE-MOI VITE S'IL TE PLAÎT, ET PARLONS D'AUTRE CHOSE !...

OSHIKAGA EST MORT, MAIS SON ÂME LUI SURVIT. PEUT-ÊTRE S'EN EST-ELLE ALLÉE VERS LE BUDDHA, OU BIEN PEUT-ÊTRE PAS. C'EST LA LOI DU KARMA...

RESTE AVEC NOUS, MON FRÈRE. SOIS LE NOUVEAU SEIGNEUR. PIMIKO EST À TOI, CAR TOI SEUL PEUT L'AIMER AINSI QU'ELLE LE MÉRITE...

JE REGRETTE, PIMIKO. J'APPARTIENS À MARA. KAÏ T'A TOUJOURS CHÉRIE SANS OSER TE LE DIRE, ET JE CROIS QU'IL SERA POUR TOI UN BON ÉPOUX...

KAÏ EST AUSSI DEVENU UN HOMME INTELLIGENT. IL SERA UN BON CHEF POUR TOUS LES SAMURAÏS, ET IL SAURA PEUT-ÊTRE TRIOMPHER DES NINJAS QUI ATTENDENT AU DEHORS.

ET IL SAURA PEUT-ÊTRE CALMER LES PAYSANS EN LEUR DONNANT UN PEU DE TOUT CE QU'ILS RÉCLAMENT...

ADIEU, VIEUX COMPAGNONS DES BONS ET MAUVAIS JOURS... LA FIN DE VOTRE HISTOIRE NE ME CONCERNE PLUS...

JE NE SONGE QU'À MARA QUI ESPÈRE MON RETOUR AU SOMMET DE LA MONTAGNE.

FIN ADAMOV

TEXTE . COTHIAS _ LETTRAGE . TUBETTI _ DESSIN ET COULEUR . ADAMOV. AVEC L'AIMABLE COLLABORATION DE J. DETHO